Le Petit Livre de la conjugaison correcte

Du même auteur :

Le Sang des choses – Contes et nouvelles, Corps 9 Éditions, 1983.

La Nuit étoilée – Nouvelles, Corps 9 Éditions, 1984.

Pour mieux dire « Peut mieux faire » Guide pratique à l'usage des enseignants, Éditions François Chapel, 1986.

Mort d'un kiosquier – Récits, Éditions Critérion, 1994.

Mon enfant est au collège. Je le soutiens efficacement, Coll. « Réussir en équipe » (en collaboration avec Claudine Julaud), Éditions First, 1999.

Mon enfant est à l'école primaire. Je le soutiens efficacement, Coll. « Réussir en équipe » (en collaboration avec Claudine Julaud), Éditions First, 1999.

Ça ne va pas ? Manuel de poésiethérapie, Le Cherche Midi Éditeur, 2001.

Le Petit Livre des tests du français correct, Éditions First, 2001.

Tu feras l'X – Roman, Liv'Éditions, 2001.

Le Français correct pour les Nuls, Éditions First, 2001.

Le Petit Livre du français correct, Éditions First, 2002.

Jean-Joseph Julaud

Le Petit Livre de la conjugaison correcte

First Editions

ISBN 2-87691-680-0
Dépôt légal : 2e trimestre 2002

Conception graphique : Pascale Desmazières

Nous nous efforçons de publier des ouvrages qui correspondent à vos attentes et votre satisfaction est pour nous une priorité. Alors, n'hésitez pas à nous faire part de vos commentaires à :
Éditions Générales First
33, avenue de la République
75011 Paris - France
Tél : 01 40 21 46 46
Fax : 01 40 21 46 20
Internet e-mail : firstinfo@efirst.com

Sommaire

INTRODUCTION

Depuis des centaines d'années, la langue française et le verbe vivent une histoire d'amour exemplaire. En effet, on ne les voit jamais l'un sans l'autre. Aussitôt qu'arrive une phrase sur les lèvres ou sous la plume de n'importe qui, ils sont là, tous deux, unis pour le meilleur et pour le pire, tout fiers de raconter ce qui s'est passé, ce qui se passe, ou ce qui se passera.

Parfois, cependant, l'infidélité tente la langue française : elle lorgne vers un groupe nominal, tout seul, disponible. Elle se laisse séduire, mais c'est bref, sans conséquence, et dès la phrase suivante, elle réinstalle dans son cœur son maître et son roi : le verbe.

Il faut dire que le verbe a de quoi charmer. Demandez-lui de vous offrir un voyage dans le passé, de vous informer du présent, de vous raconter le futur, de vous faire rêver à l'impossible : le temps d'enfiler une désinence et il vous comble.

Demandez-lui d'exprimer tout ce qui se passe dans le cœur, tout ce qui trotte dans la tête, et dans l'instant, c'est fait. Une action nouvelle vient-elle d'apparaître dans la vie de tous les jours ? Il s'empresse de se bricoler un véhicule pour la conduire dans toutes les phrases qui en auront besoin. Il a ainsi bâti ces derniers temps : numériser, digitaliser…

Tour à tour mage ou magicien, inventeur, historien, bâtisseur, homme du monde, poète, conteur, professeur ou comptable, possesseur de mille autres masques, il lui faut sans cesse, pour tout faire, changer de costume. Sous le nom de « conjugaison », son amoureuse de langue française lui entretient une fantastique garde-robe, impeccable, sans taches, sans fautes.

C'est elle que nous vous invitons à visiter dans ce petit livre. Ainsi, dès que vous croiserez un verbe en mission, dès que vous aurez besoin de lui, vous saurez d'où il vient, où il va, ce qu'il dit. Et, si d'aventure, vous en rencontrez un qui se rend au joyeux cercle des subjonctifs imparfaits, vous n'hésiterez pas à lui mettre sur la tête le chapeau qu'il oublie, à rajuster sa lavallière.

Nous voici parvenus à l'entrée de ce lieu où le verbe s'habille. La visite est libre, illimitée. Vous pouvez, quand vous le voulez, y aller et venir à votre guise. Sachez cependant que, discrètement, la langue française vous surveille, soucieuse qu'entre vous, son sujet, et le verbe, son roi, quels que soient le temps et les modes, la conjugaison soit parfaite. Ce petit livre en main, ne la décevez pas !

Jean-Joseph Julaud

LE VERBE DANS TOUS SES ÉTATS

Le verbe comporte trois groupes et trois voix, six modes et vingt temps.

I • LES TROIS GROUPES

1- Le premier groupe

Terminés par « **er** » à l'infinitif, les verbes du premier groupe sont les plus nombreux : dix mille environ. Le premier groupe s'enrichit régulièrement de nouveaux verbes. En effet, sa conjugaison étant ouverte, dès qu'un verbe doit être créé, il se termine par « er ». Ainsi sont nés au cours des dernières décennies : *informatiser, positiver, scannériser,* etc.

2- Le deuxième groupe

Il comprend les verbes en « **ir** » et dont le participe présent se termine par « **...issant** » (« finir » se termine par « ir », son participe présent est « finissant »). On compte seulement trois cents verbes du deuxième groupe ; cette conjugaison fermée n'a entrouvert ses portes au XXe siècle que pour les verbes « amerrir » et « alunir ». Peut-être qu'au XXIe siècle elle les ouvrira pour « amarsir »...?

3 - Le troisième groupe

Les verbes en **« ir »**, **« oir »**, **« re »**, dont le participe présent se termine par **« ant »** composent le troisième groupe. On en dénombre un peu plus de deux cents. Parmi eux se trouvent les plus fréquents (*devoir, dire, faire...*) qui sont aussi les plus capricieux de la langue française. Ces verbes sont en grande partie responsables de la triste réputation de notre conjugaison auprès des étrangers.

II • LES TROIS VOIX

1 - La voix active

Observons cette phrase : *La silhouette de Loana impressionne le journaliste.* Elle comporte un sujet « la silhouette de Loana », un verbe « impressionne » et un complément d'objet direct (il répond à la question « qui » ou « quoi » posée au verbe) « le journaliste ». On se rend compte que, dans cette phrase, c'est le sujet qui fait l'action, qui en est responsable. C'est bien « la silhouette de Loana » qui « impressionne » le journaliste, qui l'« émeut ». « La silhouette de Loana » accomplit l'action d'impressionner, la phrase est à la voix active.

2 - La voix passive

Observons cette nouvelle phrase : *Le journaliste est impressionné par la silhouette de Loana.* C'est la même chose, direz-vous. Pas du tout : le sujet, ici, subit l'action exprimée par le verbe, le journaliste est passif, il n'agit pas il se laisse impressionner par la silhouette. Et où est passée cette silhouette ? Elle est devenue complément du verbe « est impressionné », un complément qui est responsable de l'action, qui agit. Voilà pourquoi on l'appelle le complément d'agent. Cette phrase est à la voix passive.

3 - La voix pronominale

Nouvelle phrase : *Le journaliste se recoiffe.* On remarque, devant le verbe « recoiffe », le pronom personnel « se ». Il représente la même personne que « le journaliste ». Autrement dit, « le journaliste » = « se ». Lorsque le verbe est précédé d'un pronom personnel complément représentant la même personne que le sujet, il est appelé « pronominal ». Dans cet exemple, le journaliste recoiffe lui-même, la voix pronominale est dite « réfléchie ».
Dans la phrase suivante : *Le journaliste et Loana se saluent,*

le verbe « se saluer » est à la voix pronominale car « se » est l'équivalent du sujet « le journaliste et Loana ». Cette voix pronominale est dite réciproque (ils se saluent l'un l'autre).
Enfin, dans cette phrase : *Les journaux se vendent bien après une catastrophe,* le verbe « vendre » est précédé du pronom personnel « se » qui représente « les journaux » ; c'est donc un verbe pronominal, mais de sens passif, car ils ne se vendent pas eux-mêmes, ils sont vendus.

III • LES SIX MODES

1 - Le mode indicatif

Si vous voulez exprimer ce qui s'est passé, ce qui se passe ou ce qui se passera, utilisez le mode indicatif. C'est le mode du réel, celui qui sert le plus souvent. Vous y trouvez de quoi dire ou écrire le passé, le présent ou le futur, qu'il s'agisse de votre vie, de vos affaires, ou d'un roman. Quel que soit le thème, l'indicatif répond toujours : « Présent ! ».

2 - Le mode conditionnel

C'est le mode de l'imaginaire, celui qui verbalise vos projets (*je pourrais*...) ou vos regrets (*j'aurais*

dû...). Il effectue des retours en arrière (*nous aurions pu, pour réussir...*), il esquisse l'avenir (*tu pourrais..., nous partirions...*). Il habite une sorte de monde parallèle où les actions prennent forme le temps de les dire, et puis se dissolvent dans l'improbable.
Attention ! Les « si » exprimant la condition n'aiment pas les terminaisons « ...rais (t, ent) », les « ...rions », les « ...riez ». On doit les faire suivre de l'indicatif. Dans la phrase : *Si j'avais su, je ne serais pas venu,* le « si » de condition est suivi de l'indicatif plus-que-parfait. Lorsque le « si » n'exprime pas la condition mais l'interrogation indirecte, il peut être suivi de formes en « ...rais (t, ent) », « ...rions », « ...riez » : *Tout le monde se demandait si tu répondrais à cette question indiscrète.*

3 - Le mode subjonctif

Le doute, l'incertitude, l'action suspendue dans une réalisation éventuelle : voilà ce qu'exprime le mode subjonctif. Dès que le fait exprimé se profile dans le flou, le subjonctif apparaît, bien net, obligatoire.

- **Emploi du mode subjonctif**

  On emploie le mode subjonctif :

  a - Lorsque, dans la proposition principale, on trouve un verbe exprimant **une crainte, un sentiment, un ordre, un doute, une défense, une volonté.** Dans la phrase : *Je crains qu'il soit trop tard,* le

verbe « être » est employé au subjonctif parce que dans la proposition principale se trouve le verbe « craindre ». Est-il trop tard ? On ne le sait pas, on le craint, on n'en est pas sûr. Voilà pourquoi le subjonctif est employé.
Trouvez maintenant vous-même pourquoi il est utilisé dans les phrases qui suivent : *Le journaliste aimerait que Loana comprenne ce qu'il lui demande* (pourquoi « comprenne » et non « comprend » ?). *L'éditeur veut qu'elle écrive un roman* (pourquoi « écrive » et non « écrit » ?).

b - Lorsque, dans la proposition subordonnée circonstancielle, la conjonction de subordination introduit **un doute** pour ce qui concerne la réalisation de ce qui est exprimé par le verbe :
- dans les subordonnées de temps : avant que, en attendant que, jusqu'à ce que… (***avant que*** *tu t'en* ***ailles…***) ;
- dans les subordonnées de but : pour que, afin que, de peur que, de crainte que… (***de peur que*** *tu* ***prennes*** *froid…*) ;
- dans la subordonnée de cause introduite par : non pas que… (***non pas que*** *tu* ***sois*** *ignorante…*) ;
- dans la subordonnée de conséquence introduite par : de façon que (éviter « de façon à ce que » qui est lourd et n'apporte rien de plus), de manière que, sans que… (***de façon qu'****il* ***comprenne…***) ;

– dans la subordonnée de concession : bien que, quoique, tout... que (***bien que*** *vous* ***sachiez*** *la vérité...*).

c - On emploie également le mode subjonctif après un élément exprimant l'exclusivité : *C'est* ***la seule*** *plage qui me* ***convienne,*** ou bien la restriction : ***Le peu*** *qu'il* ***sache*** *dans cette affaire nous sera précieux.* On le trouve aussi après le superlatif : *C'est le candidat* ***le plus*** *brillant que j'****aie*** *jamais* ***rencontré.***

Dans une proposition subordonnée relative, on emploie le subjonctif ou l'indicatif selon ce qu'on veut exprimer : ***Je cherche*** *quelqu'un* ***qui connaisse*** *la langue anglaise.* Ce « quelqu'un » est hypothétique, peut-être n'existe-t-il pas dans le groupe considéré. En revanche, si on emploie l'indicatif dans la relative : ***Je cherche*** *quelqu'un* ***qui connaît*** *la langue anglaise,* ce quelqu'un est réel, on le sait, et on le cherche.

- **Attention : subjonctif imparfait**

Ne vous laissez pas impressionner par l'imparfait du subjonctif. Son emploi est d'une extrême simplicité, même si sa rareté dans le langage courant a pu faire croire à certains qu'il relevait d'une délicate complexité. Observez simplement les phrases qui suivent, et vous allez comprendre : *L'éditeur veut* (présent de l'indicatif) *qu'elle écrive* (présent du subjonctif) *un roman. L'éditeur voulait* (imparfait de l'indicatif) *qu'elle écrivît* (imparfait

du subjonctif) *un roman. Le journaliste aurait aimé* (passé du conditionnel) *que Loana comprît* (imparfait du subjonctif) *ce qu'il lui demandait. Je veux que vous arriviez à l'heure. J'aurais voulu que vous arrivassiez à l'heure.*
Vous l'avez compris, vous, on emploie l'imparfait du subjonctif dans la subordonnée lorsque le verbe de la principale est employé à un temps du passé (imparfait, passé simple, plus-que-parfait, passé du conditionnel).
Le présent, dans la principale, appelle le subjonctif présent dans la subordonnée (ou le subjonctif passé : *Je* ***veux*** *que vous* ***ayez terminé***) ; l'imparfait (ou le passé simple) de l'indicatif appelle dans la subordonnée l'imparfait du subjonctif. C'est tout.

- **Pédant ?**

Évidemment, on évite souvent d'effectuer cette concordance des temps, car l'utilisation systématique du subjonctif imparfait risque de faire pédant.
Imaginez-vous à la boulangerie, revenant au comptoir pour demander : *J'eusse aimé que vous enveloppassiez ma baguette, que vous ficelassiez cette boîte de gâteaux et que vous me rendissiez la monnaie en pièces !* Et pourquoi pas, après tout ! Essayez, ça ne mange pas de pain…

- **Comment conjuguer l'imparfait du subjonctif ?**

Il faut partir de la troisième personne du singulier du passé simple, par exemple « il regarda » et « il sortit ».

La **troisième personne du singulier** de l'imparfait du subjonctif se prononce exactement de la même façon, on ajoute simplement un accent circonflexe et un « t » pour les verbes du premier groupe : *Il aurait fallu qu'il regardât,* et un accent circonflexe seulement pour les verbes des deux autres groupes : *Il aurait fallu qu'il sortît.* Pour toutes les personnes, on se conforme au tableau suivant :

Verbes du premier groupe			
Passé simple		**Subjonctif imparfait**	
je regard	ai	que je regard	asse
tu regard	as	que tu regard	asses
il regard	a	qu'il regard	ât
nous regard	âmes	que nous regard	assions
vous regard	âtes	que vous regard	assiez
ils regard	èrent	qu'ils regard	assent
Autres groupes			
Passé simple		**Subjonctif imparfait**	
je sorti	s	que je sorti	sse
tu sorti	s	que tu sorti	sses
il sorti	t	qu'il sortî	t
nous sortî	mes	que nous sorti	ssions
vous sortî	tes	que vous sorti	ssiez
ils sorti	rent	qu'ils sorti	ssent
Exemples			
J'aperçu	s	que j'aperçu	sse
Tu reçu	s	que tu reçu	sses

Il rentr	a	qu'il rentr	ât
Il pu	t	qu'il pû	t
nous offrî	mes	que nous offri	ssions
vous avanç	âtes	que vous avanç	assiez
ils du	rent	qu'ils du	ssent

4 - Le mode impératif

Donner des ordres, c'est l'affaire du mode impératif. Il le fait de façon directe, presque brutale : *Sortez !*, sans les atténuations polies qu'on obtient avec le subjonctif : *Je voudrais que vous sortiez.*

La conjugaison du mode impératif est lacunaire ; elle ne comporte que deux personnes : la première uniquement au pluriel (« travaillons »), la seconde au singulier et au pluriel (« marche », « allez »). Pour la 3e personne, le subjonctif tient lieu d'impératif : *Qu'elle entre ! Qu'ils partent.*

Les verbes des deuxième et troisième groupes prennent un « s » à la 2e personne du singulier : *Prends ! Reçois !*

Attention : la deuxième personne du singulier des verbes du premier groupe à l'impératif ne prend pas de « s » (contrairement aux verbes des autres groupes) : *Travaille ! Dépêche-toi !*

Certains verbes du troisième groupe suivent la même règle : *assaillir, couvrir, cueillir, défaillir, offrir, ouvrir, savoir, souffrir, tressaillir, vouloir.*

Cependant, on ajoute un « s » afin d'éviter l'hiatus, lorsque l'impératif de ces verbes (premier et troisième groupes) est suivi de « en » ou de « y » : « donnes-en », « vas-y », « offres-en », « manges-en ». Sans le pronom personnel « en », on écrirait : « donne », « va », « offre », « mange ».

- **L'impératif et les pronoms**

Si **« en »** ou **« y »** sont suivis d'un infinitif, ou si « en » est une préposition, l'impératif garde son orthographe initiale et le trait d'union disparaît : *Va en parler au responsable, Donne en pensant à ceux qui recevront !*

Si deux pronoms suivent l'impératif, on met deux traits d'union, et le COD (ce qui répond à la question « quoi ? » posée au verbe) vient en premier : *Allez-vous-en, Prenez-le-lui.* Le premier pronom peut être élidé : *Va-t'en, Donne-m'en.*

Les pronoms **« le »** et **« la »** ne s'élident que devant les pronoms « en » et « y » (qui se mettent toujours en dernier) : *Convaincs-l'en, Mène-l'y.*

À la forme négative, le COD est toujours le plus près du verbe : *Ne me le dis pas !* Cependant, il y a exception pour **« leur »** et **« lui »** qui se mettent entre le COD et le verbe : *Ne le leur dites pas. Ne le lui avoue pas.*

Un petit truc : l'orthographe de la 2e personne du singulier de l'impératif ne pose aucun problème si, avant de l'écrire, on la fait précéder mentalement de « je » (à condition bien sûr de tenir compte de tous les cas particuliers précités).

5 - Le mode participe

Le participe n'est pas un mode reposant : il ne comporte que deux temps, le présent et le passé. Mais, pour le premier, il y a un risque de confusion avec l'adjectif verbal, et pour le second, l'accord n'est pas toujours facile.

a - Le participe présent se termine par « **ant** », il est toujours invariable : *Les pétroliers* ***naviguant*** *trop près de la côte risquent le naufrage. En* ***convainquant*** *le capitaine de s'en écarter, on évite une catastrophe* (le participe présent précédé de la préposition « en » porte le nom de gérondif).

Lorsqu'il joue le rôle d'un adjectif, le participe présent prend le nom d'adjectif verbal, son orthographe varie, et on doit l'accorder : *Nos voisins ont des enfants fatigants. Les arguments de Loana sont très convaincants.*

b - Le participe passé : employé avec l'auxiliaire être, il s'accorde en genre et en nombre avec le sujet : *Nos amies sont* ***revenues.***

Employé avec l'auxiliaire avoir, il s'accorde avec le COD si celui-ci est placé avant (voir le détail de ces règles dans *Le Petit Livre du français correct*). *Les journalistes que les actrices ont rencontrés écrivent leur article :* « rencontrés » est un participe passé conjugué avec l'auxiliaire avoir. Dans ce cas, on cherche le COD (il répond à la question « qui ? » ou « quoi ? » posée au verbe). Les actrices ont rencontré « qui ? », elles ont rencontré « que », pronom relatif mis pour « les journalistes ». On accorde donc le participe passé : « rencontrés ».

6 - Le mode infinitif

C'est un mode passe-partout qui n'a besoin de personne. Il indique l'action ou l'état de façon neutre. Son emploi garantit une compréhension minimale des intentions lorsqu'on ne maîtrise pas correctement le reste des mots, la conjugaison : *Moi vouloir manger, dormir ; demain, partir.* Il peut occuper plusieurs fonctions dans la phrase : sujet, complément d'objet, complément circonstanciel. Un vrai polyvalent ! C'est à partir de l'infinitif qu'on effectue le classement des verbes.

IV • LES VINGT TEMPS

Avoir toujours vingt temps ! C'est, pour le verbe, la simulation sonore de l'éternelle jeunesse ! Vingt temps ! Dans ce petit livre, vous disposez des quatre temps simples, et d'un temps composé de l'indicatif, d'un temps du conditionnel, de trois temps du subjonctif, d'un temps de l'impératif, des deux temps du participe, et d'un temps de l'infinitif.
C'est un jeu d'enfant que de composer vous-même les

TABLEAU DES PRINCIPALES TERMINAISONS

	1er groupe
Présent	e, es, e,ons, ez, ent
Imparfait	ais, ais, ait, ions, iez, aient
Passé simple	ai, as, a, âmes, âtes, èrent
Futur	erai, eras, era, erons, erez, eront
Conditionnel	erais, erais, erait, erions, eriez, eraient
Subjonctif présent	e, es, e, ions, iez, ent
Impératif	e, ons, ez

temps omis : il suffit de faire précéder le participe passé de l'auxiliaire « avoir » (ou « être » si le verbe se conjugue avec cet auxiliaire) conjugué au temps désiré :

Plus-que-parfait. Imparfait de l'auxiliaire + participe passé : j'avais + participe passé ; tu avais + participe passé ; il avait + participe passé. etc. (ou : j'étais + participe passé...)

Passé antérieur. Passé simple de l'auxiliaire + participe passé : J'eus + participe passé ; tu eus + participe passé ; il eut + participe passé, etc. (ou : Je fus + participe passé...).

2e groupe	3e groupe
is, is, it, issons, issez, issent s, s, t, ons, ez, ent,	e, es, e, ons, ez, ent s, s, d, ons, ez, ent x, x, t, ons, ez, ent
ais, ais, ait, ions, iez, aient	ais, ais, ait, ions, iez, aient
is, is, it, îmes, îtes, irent	is, is, it, îmes, îtes, irent us, us, ut, ûmes, ûtes, urent ins, ins, int, înmes, întes, inrent
irai, iras, ira, irons, irez, iront	rai, ras, ra, rons, rez, ront
irais, irais, irait, irions, iriez, iraient	rais, rais, rait, rions, riez, raient
isse, isses, isse, issions, issiez, issent	e, es, e, ions, iez, ent
is, issons, issez	e, ons, ez ; s, ons, ez

Futur antérieur. Futur simple de l'auxiliaire + participe passé : J'aurai + participe passé ; tu auras + participe passé ; il aura + participe passé, etc. (ou : Je serai + participe passé...).

Conditionnel passé. Conditionnel présent de l'auxiliaire + participe passé : J'aurais + participe passé ; tu aurais + participe passé ; il aurait + participe passé, etc. (ou : Je serais + participe passé...).

Subjonctif plus-que-parfait. Subjonctif imparfait de l'auxiliaire + participe passé : Que j'eusse + participe passé ; que tu eusses + participe passé ; qu'il eût + participe passé, etc. (ou : Que je fusse + participe passé…).

Impératif passé. Impératif présent de l'auxiliaire + participe passé : Aie + participe passé ; ayons + participe passé ; ayez + participe passé, etc. (ou : Sois + participe passé…).

Infinitif passé. Infinitif présent de l'auxiliaire + participe passé : Avoir + participe passé (ou : Être + participe passé).

LES VERBES MODÈLES

1 Acheter 1er groupe

Présent : j'achète, tu achètes, il achète, nous achetons, vous achetez, ils achètent.
Imparfait : j'achetais, tu achetais, il achetait, nous achetions, vous achetiez, ils achetaient.
Passé simple : j'achetai, tu achetas, il acheta, nous achetâmes, vous achetâtes, ils achetèrent.
Futur simple : j'achèterai, tu achèteras, il achètera, nous achèterons, vous achèterez, ils achèteront.
Passé composé : j'ai acheté, tu as acheté, il a acheté, nous avons acheté, vous avez acheté, ils ont acheté.
Conditionnel présent : j'achèterais, tu achèterais, il achèterait, nous achèterions, vous achèteriez, ils achèteraient.
Subjonctif présent : que j'achète, que tu achètes, qu'il achète, que nous achetions, que vous achetiez, qu'ils achètent.
Subjonctif passé : que j'aie acheté, que tu aies acheté, qu'il ait acheté, que nous ayons acheté, que vous ayez acheté, qu'ils aient acheté.
Subjonctif imparfait : que j'achetasse, que tu achetasses, qu'il achetât, que nous achetassions,

que vous achetassiez, qu'ils achetassent.
Impératif présent : achète, achetons, achetez.
Participe présent : achetant. **Participe passé :** acheté.

2 Acquérir 3e groupe

Présent : j'acquiers, tu acquiers, il acquiert,
nous acquérons, vous acquérez, ils acquièrent.
Imparfait : j'acquérais, tu acquérais, il acquérait,
nous acquérions, vous acquériez, ils acquéraient.
Passé simple : j'acquis, tu acquis, il acquit,
nous acquîmes, vous acquîtes, ils acquirent.
Futur simple : j'acquerrai, tu acquerras, il acquerra,
nous acquerrons, vous acquerrez, ils acquerront.
Passé composé : j'ai acquis, tu as acquis, il a acquis,
nous avons acquis, vous avez acquis, ils ont acquis.
Conditionnel présent : j'acquerrais, tu acquerrais,
il acquerrait, nous acquerrions, vous acquerriez,
ils acquerraient.
Subjonctif présent : que j'acquière, que tu acquières,
qu'il acquière, que nous acquérions,
que vous acquériez, qu'ils acquièrent.
Subjonctif passé : que j'aie acquis, que tu aies acquis,
qu'il ait acquis, que nous ayons acquis,
que vous ayez acquis, qu'ils aient acquis.
Subjonctif imparfait : que j'acquisse, que tu acquisses,

qu'il acquît, que nous acquissions,
que vous acquissiez, qu'ils acquissent.
Impératif présent : acquiers, acquérons, acquérez.
Participe présent : acquérant. **Participe passé :** acquis.

3 Acquiescer 1er groupe

Présent : j'acquiesce, tu acquiesces, il acquiesce,
nous acquiesçons, vous acquiescez, ils acquiescent.
Imparfait : j'acquiesçais, tu acquiesçais, il acquiesçait,
nous acquiescions, vous acquiesciez, ils acquiesçaient.
Passé simple : j'acquiesçai, tu acquiesças, il acquiesça,
nous acquiesçâmes, vous acquiesçâtes,
ils acquiescèrent.
Futur simple : j'acquiescerai, tu acquiesceras,
il acquiescera, nous acquiescerons,
vous acquiescerez, ils acquiesceront.
Passé composé : j'ai acquiescé, tu as acquiescé,
il a acquiescé, nous avons acquiescé,
vous avez acquiescé, ils ont acquiescé.
Conditionnel présent : j'acquiescerais, tu acquiescerais,
il acquiescerait, nous acquiescerions,
vous acquiesceriez, ils acquiesceraient.
Subjonctif présent : que j'acquiesce, que tu acquiesces,
qu'il acquiesce, que nous acquiescions,
que vous acquiesciez, qu'ils acquiescent.

Subjonctif passé : que j'aie acquiescé, que tu aies acquiescé, qu'il ait acquiescé, que nous ayons acquiescé, que vous ayez acquiescé, qu'ils aient acquiescé.
Subjonctif imparfait : que j'acquiesçasse, que tu acquiesçasses, qu'il acquiesçât, que nous acquiesçassions, que vous acquiesçassiez, qu'ils acquiesçassent.
Impératif présent : acquiesce, acquiesçons, acquiescez.
Participe présent : acquiesçant. **Participe passé :** acquiescé.

4 Aller 3e groupe

Présent : je vais, tu vas, il va, nous allons, vous allez, ils vont.
Imparfait : j'allais, tu allais, il allait, nous allions, vous alliez, ils allaient.
Passé simple : j'allai, tu allas, il alla, nous allâmes, vous allâtes, ils allèrent.
Futur simple : j'irai, tu iras, il ira, nous irons, vous irez, ils iront.
Passé composé : je suis allé, tu es allé, il est allé, nous sommes allés, vous êtes allés, ils sont allés.
Conditionnel présent : j'irais, tu irais, il irait, nous irions, vous iriez, ils iraient.
Subjonctif présent : que j'aille, que tu ailles, qu'il aille,

que nous allions, que vous alliez, qu'ils aillent.
Subjonctif passé : que je sois allé, que tu sois allé, qu'il soit allé, que nous soyons allés, que vous soyez allés, qu'ils soient allés.
Subjonctif imparfait : que j'allasse, que tu allasses, qu'il allât, que nous allassions, que vous allassiez, qu'ils allassent.
Impératif présent : va, allons, allez (mais pour des raisons euphoniques, on met un « s » à « va » dans vas-y).
Participe présent : allant. **Participe passé :** allé.

5 Appeler 1er groupe

Présent : j'appelle, tu appelles, il appelle, nous appelons, vous appelez, ils appellent.
Imparfait : j'appelais, tu appelais, il appelait, nous appelions, vous appeliez, ils appelaient.
Passé simple : j'appelai, tu appelas, il appela, nous appelâmes, vous appelâtes, ils appelèrent.
Futur simple : j'appellerai, tu appelleras, il appellera, nous appellerons, vous appellerez, ils appelleront.
Passé composé : j'ai appelé, tu as appelé, il a appelé, nous avons appelé, vous avez appelé, ils ont appelé.
Conditionnel présent : j'appellerais, tu appellerais, il appellerait, nous appellerions, vous appelleriez, ils appelleraient.

Subjonctif présent : que j'appelle, que tu appelles, qu'il appelle, que nous appelions, que vous appeliez, qu'ils appellent.
Subjonctif passé : que j'aie appelé, que tu aies appelé, qu'il ait appelé, que nous ayons appelé, que vous ayez appelé, qu'ils aient appelé.
Subjonctif imparfait : que j'appelasse, que tu appelasses, qu'il appelât, que nous appelassions, que vous appelassiez, qu'ils appelassent.
Impératif présent : appelle, appelons, appelez.
Participe présent : appelant. **Participe passé :** appelé.

Les verbes terminés par « eler »

Un « e » suivi de deux consonnes devient un « è » sans qu'il soit besoin de lui mettre un accent grave. Ainsi, on écrit « essence », « lettre », « mettre ». Pour la conjugaison des verbes terminés par « eler », on applique cette règle en écrivant « ...elle... » dès qu'on entend le son « è » : *j'appelle*, mais *nous appelons, j'épellerai*, mais *nous épelions, je ficelle*, mais *nous ficelons.*
Attention, il existe une liste de verbes qui ne suivent pas cette règle : le son « è » s'écrit « è », et le « l » n'est pas redoublé, ce qui donne « ...èle... ». Ces verbes sont : *celer* (qui signifie « cacher »), *ciseler, déceler, démanteler, écarteler, geler* (et ses composés : *congeler, dégeler, regeler, surgeler*, etc.), *harceler, marteler, modeler* (*remodeler*), *peler, receler.*

Ainsi, on écrit : « je cisèle », « tu écartèles », « il congèle », « il harcèlera », « tu pèleras », etc.
Le verbe « interpeller » conserve dans toute sa conjugaison ses deux « l », mais il suit la prononciation du verbe « appeler ». Dans : « vous appelez » et « vous interpellez », les deux dernières syllabes se prononcent de la même façon.
Les verbes *consteller, exceller, flageller, libeller, quereller, rebeller, sceller, seller* conservent aussi leurs deux « l » dans toute leur conjugaison, mais le « e » central se prononce « è » suivant la règle énoncée plus haut : « nous flagellons » se prononce « fla - gè - llons ».

6 Arguer 1er groupe

Présent : j'arguë (ar - gu), tu arguës (ar - gu), il arguë (ar - gu), nous arguons (ar - gu - ons), vous arguez (ar - gu - ez), ils arguënt (ar - gu).
Imparfait : j'arguais (ar - gu - ais), tu arguais, il arguait, nous arguïons (ar - gu - ions), vous arguïez, ils arguaient.
Passé simple : j'arguai, tu arguas, il argua, nous arguâmes, vous arguâtes, ils arguèrent.
Futur simple : j'arguërai (ar - gu - rai), tu arguëras, il arguëra, nous arguërons, vous arguërez, ils arguëront.

Passé composé : j'ai argué, tu as argué, il a argué, nous avons argué, vous avez argué, ils ont argué.
Conditionnel présent : j'arguërais, tu arguërais, il arguërait, nous arguërions, vous arguëriez, ils arguëraient.
Subjonctif présent : que j'arguë, que tu arguës, qu'il arguë, que nous arguïons, que vous arguïez, qu'ils arguënt.
Subjonctif passé : que j'aie argué, que tu aies argué, qu'il ait argué, que nous ayons argué, que vous ayez argué, qu'ils aient argué.
Subjonctif imparfait : que j'arguasse (ar - gu - asse), que tu arguasses, qu'il arguât, que nous arguassions, que vous arguassiez, qu'ils arguassent.
Impératif présent : arguë, arguons, arguez.
Participe présent : arguant. **Participe passé :** argué.

7 Assaillir 3e groupe

Présent : j'assaille, tu assailles, il assaille, nous assaillons, vous assaillez, ils assaillent.
Imparfait : j'assaillais, tu assaillais, il assaillait, nous assaillions, vous assailliez, ils assaillaient.
Passé simple : j'assaillis, tu assaillis, il assaillit, nous assaillîmes, vous assaillîtes, ils assaillirent.
Futur simple : j'assaillirai, tu assailliras, il assaillira, nous assaillirons, vous assaillirez, ils assailliront.

Passé composé : j'ai assailli, tu as assailli, il a assailli, nous avons assailli, vous avez assailli, ils ont assailli.
Conditionnel présent : j'assaillirais, tu assaillirais, il assaillirait, nous assaillirions, vous assailliriez, ils assailliraient.
Subjonctif présent : que j'assaille, que tu assailles, qu'il assaille, que nous assaillions, que vous assailliez, qu'ils assaillent.
Subjonctif passé : que j'aie assailli, que tu aies assailli, qu'il ait assailli, que nous ayons assailli, que vous ayez assailli, qu'ils aient assailli.
Subjonctif imparfait : que j'assaillisse, que tu assaillisses, qu'il assaillît, que nous assaillissions, que vous assaillissiez, qu'ils assaillissent.
Impératif présent : assaille, assaillons, assaillez.
Participe présent : assaillant. **Participe passé :** assailli.

8 Asseoir (1) 3e groupe

Présent : j'assieds, tu assieds, il assied, nous asseyons, vous asseyez, ils asseyent.
Imparfait : j'asseyais, tu asseyais, il asseyait, nous asseyions, vous asseyiez, ils asseyaient.
Passé simple : j'assis, tu assis, il assit, nous assîmes, vous assîtes, ils assirent.
Futur simple : j'assiérai, tu assiéras, il assiéra,

nous assiérons, vous assiérez, ils assiéront.
Passé composé : j'ai assis, tu as assis, il a assis, nous avons assis, vous avez assis, ils ont assis.
Conditionnel présent : j'assiérais, tu assiérais, il assiérait, nous assiérions, vous assiériez, ils assiéraient.
Subjonctif présent : que j'asseye, que tu asseyes, qu'il asseye, que nous asseyions, que vous asseyiez, qu'ils asseyent.
Subjonctif passé : que j'aie assis, que tu aies assis, qu'il ait assis, que nous ayons assis, que vous ayez assis, qu'ils aient assis.
Subjonctif imparfait : que j'assisse, que tu assisses, qu'il assît, que nous assissions, que vous assissiez, qu'ils assissent.
Impératif présent : assieds, asseyons, asseyez.
Participe présent : asseyant. **Participe passé :** assis.

8 Asseoir (2) 3e groupe

Présent : j'assois, tu assois, il assoit, nous assoyons, vous assoyez, ils assoient.
Imparfait : j'assoyais, tu assoyais, il assoyait, nous assoyions, vous assoyiez, ils assoyaient.
Passé simple : (identique à asseoir 1).
Futur simple : j'assoirai, tu assoiras, il assoira, nous assoirons, vous assoirez, ils assoiront.

Passé composé : (identique à asseoir 1).
Conditionnel présent : j'assoirais, tu assoirais, il assoirait, nous assoirions, vous assoiriez, ils assoiraient.
Subjonctif présent : que j'assoie, que tu assoies, qu'il assoie, que nous assoyions, que vous assoyiez, qu'ils assoient.
Subjonctif passé : (identique à asseoir 1).
Subjonctif imparfait : (identique à asseoir 1).
Impératif présent : assois, assoyons, assoyez.
Participe présent : assoyant.

9 Avoir

Présent : j'ai, tu as, il a, nous avons, vous avez, ils ont.
Imparfait : j'avais, tu avais, il avait, nous avions, vous aviez, ils avaient.
Passé simple : j'eus, tu eus, il eut, nous eûmes, vous eûtes, ils eurent.
Futur simple : j'aurai, tu auras, il aura, nous aurons, vous aurez, ils auront.
Passé composé : j'ai eu, tu as eu, il a eu, nous avons eu, vous avez eu, ils ont eu.
Conditionnel présent : j'aurais, tu aurais, il aurait, nous aurions, vous auriez, ils auraient.
Subjonctif présent : que j'aie, que tu aies, qu'il ait, que nous ayons, que vous ayez, qu'ils aient.

Subjonctif passé : que j'aie eu, que tu aies eu, qu'il ait eu, que nous ayons eu, que vous ayez eu, qu'ils aient eu.
Subjonctif imparfait : que j'eusse, que tu eusses, qu'il eût, que nous eussions, que vous eussiez, qu'ils eussent.
Impératif présent : aie, ayons ayez.
Participe présent : ayant. **Participe passé :** eu.

10 Battre 3e groupe

Présent : je bats, tu bats, il bat, nous battons, vous battez, ils battent.
Imparfait : je battais, tu battais, il battait, nous battions, vous battiez, ils battaient.
Passé simple : je battis, tu battis, il battit, nous battîmes, vous battîtes, ils battirent.
Futur simple : je battrai, tu battras, il battra, nous battrons, vous battrez, ils battront.
Passé composé : j'ai battu, tu as battu, il a battu, nous avons battu, vous avez battu, ils ont battu.
Conditionnel présent : je battrais, tu battrais, il battrait, nous battrions, vous battriez, ils battraient.
Subjonctif présent : que je batte, que tu battes, qu'il batte, que nous battions, que vous battiez, qu'ils battent.
Subjonctif passé : que j'aie battu, que tu aies battu, qu'il ait battu, que nous ayons battu, que vous ayez battu, qu'ils aient battu

Subjonctif imparfait : que je battisse, que tu battisses, qu'il battît, que nous battissions, que vous battissiez, qu'ils battissent.
Impératif présent : bats, battons, battez.
Participe présent : battant. **Participe passé :** battu.

11 Boire 3e groupe

Présent : je bois, tu bois, il boit, nous buvons, vous buvez, ils boivent.
Imparfait : je buvais, tu buvais, il buvait, nous buvions, vous buviez, ils buvaient.
Passé simple : je bus, tu bus, il but, nous bûmes, vous bûtes, ils burent.
Futur simple : je boirai, tu boiras, il boira, nous boirons, vous boirez, ils boiront.
Passé composé : j'ai bu, tu as bu, il a bu, nous avons bu, vous avez bu, ils ont bu.
Conditionnel présent : je boirais, tu boirais, il boirait, nous boirions, vous boiriez, ils boiraient.
Subjonctif présent : que je boive, que tu boives, qu'il boive, que nous buvions, que vous buviez, qu'ils boivent.
Subjonctif passé : que j'aie bu, que tu aies bu, qu'il ait bu, que nous ayons bu, que vous ayez bu, qu'ils aient bu.
Subjonctif imparfait : que je busse, que tu busses,

qu'il bût, que nous bussions, que vous bussiez, qu'ils bussent.
Impératif présent : bois, buvons, buvez.
Participe présent : buvant. **Participe passé :** bu.

12 Bouillir 3e groupe

Présent : je bous, tu bous, il bout, nous bouillons, vous bouillez, ils bouillent.
Imparfait : je bouillais, tu bouillais, il bouillait, nous bouillions, vous bouilliez, ils bouillaient.
Passé simple : je bouillis, tu bouillis, il bouillit, nous bouillîmes, vous bouillîtes, ils bouillirent.
Futur simple : je bouillirai, tu bouilliras, il bouillira, nous bouillirons, vous bouillirez, ils bouilliront.
Passé composé : j'ai bouilli, tu as bouilli, il a bouilli, nous avons bouilli, vous avez bouilli, ils ont bouilli.
Conditionnel présent : je bouillirais, tu bouillirais, il bouillirait, nous bouillirions, vous bouilliriez, ils bouilliraient.
Subjonctif présent : que je bouille, que tu bouilles, qu'il bouille, que nous bouillions, que vous bouilliez, qu'ils bouillent.
Subjonctif passé : que j'aie bouilli, que tu aies bouilli, qu'il ait bouilli, que nous ayons bouilli, que vous ayez bouilli, qu'ils aient bouilli.

Subjonctif imparfait : que je bouillisse, que tu bouillisses, qu'il bouillît, que nous bouillissions, que vous bouillissiez, qu'ils bouillissent.
Impératif présent : bous, bouillons, bouillez.
Participe présent : bouillant. **Participe passé :** bouilli.

13 Commencer 1er groupe

Présent : je commence, tu commences, il commence, nous commençons, vous commencez, ils commencent.
Imparfait : je commençais, tu commençais, il commençait, nous commencions, vous commenciez, ils commençaient.
Passé simple : je commençai, tu commenças, il commença, nous commençâmes, vous commençâtes, ils commencèrent.
Futur simple : je commencerai, tu commenceras, il commencera, nous commencerons, vous commencerez, ils commenceront.
Passé composé : j'ai commencé, tu as commencé, il a commencé, nous avons commencé, vous avez commencé, ils ont commencé.
Conditionnel présent : je commencerais, tu commencerais, il commencerait, nous commencerions, vous commenceriez, ils commenceraient.
Subjonctif présent : que je commence,

que tu commences, qu'il commence,
que nous commencions, que vous commenciez,
qu'ils commencent.
Subjonctif passé : que j'aie commencé,
que tu aies commencé, qu'il ait commencé,
que nous ayons commencé,
que vous ayez commencé, qu'ils aient commencé.
Subjonctif imparfait : que je commençasse,
que tu commençasses, qu'il commençât,
que nous commençassions, que vous commençassiez, qu'ils commençassent.
Impératif présent : commence, commençons, commencez.
Participe présent : commençant.
Participe passé : commencé.

14 Conclure 3e groupe

Présent : je conclus, tu conclus, il conclut,
nous concluons, vous concluez, ils concluent.
Imparfait : je concluais, tu concluais, il concluait,
nous concluions, vous concluiez, ils concluaient.
Passé simple : je conclus, tu conclus, il conclut,
nous conclûmes, vous conclûtes, ils conclurent.
Futur simple : je conclurai, tu concluras, il conclura,
nous conclurons, vous conclurez, ils concluront.
Passé composé : j'ai conclu, tu as conclu, il a conclu,

nous avons conclu, vous avez conclu, ils ont conclu.
Conditionnel présent : je conclurais, tu conclurais, il conclurait, nous conclurions, vous concluriez, ils concluraient.
Subjonctif présent : que je conclue, que tu conclues, qu'il conclue, que nous concluions, que vous concluiez, qu'ils concluent.
Subjonctif passé : que j'aie conclu, que tu aies conclu, qu'il ait conclu, que nous ayons conclu, que vous ayez conclu, qu'ils aient conclu.
Subjonctif imparfait : que je conclusse, que tu conclusses, qu'il conclût, que nous conclussions, que vous conclussiez, qu'ils conclussent.
Impératif présent : conclus, concluons, concluez.
Participe présent : concluant. **Participe passé :** conclu.

Comment bien conclure ?

Le verbe « conclure », 3e groupe, est souvent victime de la conjugaison des verbes en « uer » du premier groupe. En effet, il existe une ressemblance sonore si forte entre « je conclurai » et « je suerai », ressemblance existant aussi pour les autres personnes, qu'il est tentant d'écrire le fautif « concluerai ».
De même, l'erreur peut être faite au passé simple : « il conclua » au lieu de « il conclut ».
Avant de conjuguer sans faire d'erreur, il est nécessaire

d'identifier le groupe auquel appartient le verbe, et d'agir en conséquence.

15 Conduire 3e groupe

Présent : je conduis, tu conduis, il conduit, nous conduisons, vous conduisez, ils conduisent.
Imparfait : je conduisais, tu conduisais, il conduisait, nous conduisions, vous conduisiez, ils conduisaient.
Passé simple : je conduisis, tu conduisis, il conduisit, nous conduisîmes, vous conduisîtes, ils conduisirent.
Futur simple : je conduirai, tu conduiras, il conduira, nous conduirons, vous conduirez, ils conduiront.
Passé composé : j'ai conduit, tu as conduit, il a conduit, nous avons conduit, vous avez conduit, ils ont conduit.
Conditionnel présent : je conduirais, tu conduirais, il conduirait, nous conduirions, vous conduiriez, ils conduiraient.
Subjonctif présent : que je conduise, que tu conduises, qu'il conduise, que nous conduisions, que vous conduisiez, qu'ils conduisent.
Subjonctif passé : que j'aie conduit, que tu aies conduit, qu'il ait conduit, que nous ayons conduit, que vous ayez conduit, qu'ils aient conduit.
Subjonctif imparfait : que je conduisisse, que tu conduisisses, qu'il conduisît,

que nous conduisissions, que vous conduisissiez, qu'ils conduisissent.
Impératif présent : conduis, conduisons, conduisez.
Participe présent : conduisant. **Participe passé :** conduit

(Pour « luire » et « nuire », le participe passé est invariable : « lui », « nui ».)

16 Connaître 3e groupe

Présent : je connais, tu connais, il connaît, nous connaissons, vous connaissez, ils connaissent.
Imparfait : je connaissais, tu connaissais, il connaissait, nous connaissions, vous connaissiez, ils connaissaient.
Passé simple : je connus, tu connus, il connut, nous connûmes, vous connûtes, ils connurent.
Futur simple : je connaîtrai, tu connaîtras, il connaîtra, nous connaîtrons, vous connaîtrez, ils connaîtront.
Passé composé : j'ai connu, tu as connu, il a connu, nous avons connu, vous avez connu, ils ont connu.
Conditionnel présent : je connaîtrais, tu connaîtrais, il connaîtrait, nous connaîtrions, vous connaîtriez, ils connaîtraient.
Subjonctif présent : que je connaisse, que tu connaisses, qu'il connaisse, que nous connaissions,

que vous connaissiez, qu'ils connaissent.
Subjonctif passé : que j'aie connu, que tu aies connu, qu'il ait connu, que nous ayons connu, que vous ayez connu, qu'ils aient connu.
Subjonctif imparfait : que je connusse, que tu connusses, qu'il connût, que nous connussions, que vous connussiez, qu'ils connussent.
Impératif présent : connais, connaissons, connaissez.
Participe présent : connaissant. **Participe passé :** connu.

Les verbes terminés par « aître »

Les verbes terminés par « aître » (peu nombreux) conservent l'accent circonflexe sur le « i » du radical lorsqu'il est suivi d'un « t » : *il connaît*, mais *nous connaissons, je paraîtrai*, mais *je paraissais, il naîtra*, mais *nous naissions, je disparais*, mais *tu disparaîtras.*
Au XIe siècle, les verbes terminés par « aître » s'écrivaient « oistre ». Au XVIIIe siècle, la transformation du son « oi » en « ai », puis la suppression du « s » et son remplacement par l'accent circonflexe ont donné « aître ».
À cette époque, de nombreux « s » muets furent remplacés par un accent circonflexe : « mesme » est devenu « même », « hospital » est devenu « hôpital » (mais on a conservé le « s » dans « hospitalier »), « intérest » (conservé en anglais : « interest ») s'est transformé en « intérêt », « abisme » a donné « abîme », « s'il vous plaist » s'est écrit et s'écrit toujours : « s'il vous plaît », etc.

17 Contredire 3e groupe

Présent : je contredis, tu contredis, il contredit, nous contredisons, vous contredisez, ils contredisent.
Imparfait : je contredisais, tu contredisais, il contredisait, nous contredisions, vous contredisiez, ils contredisaient.
Passé simple : je contredis, tu contredis, il contredit, nous contredîmes, vous contredîtes, ils contredirent.
Futur simple : je contredirai, tu contrediras, il contredira, nous contredirons, vous contredirez, ils contrediront.
Passé composé : j'ai contredit, tu as contredit, il a contredit, nous avons contredit, vous avez contredit, ils ont contredit.
Conditionnel présent : je contredirais, tu contredirais, il contredirait, nous contredirions, vous contrediriez, ils contrediraient.
Subjonctif présent : que je contredise, que tu contredises, qu'il contredise, que nous contredisions, que vous contredisiez, qu'ils contredisent.
Subjonctif passé : que j'aie contredit, que tu aies contredit, qu'il ait contredit, que nous ayons contredit, que vous ayez contredit, qu'ils aient contredit.
Subjonctif imparfait : que je contredisse, que tu contredisses, qu'il contredît, que nous contredissions, que vous contredissiez,

qu'ils contredissent.
Impératif présent : contredis, contredisons, contredisez.
Participe présent : contredisant. **Participe passé :** contredit.

Dire et contredire

À la 2e personne du pluriel de l'indicatif présent, seul le verbe « dire » fait « vous dites ». Ses dérivés : *contredire, dédire, interdire, médire, prédire,* font à cette 2e personne du pluriel *vous contredisez, vous dédisez, vous interdisez, vous médisez, vous prédisez.* À la 2e personne du pluriel du subjonctif présent, on dit : « Il faut que vous le lui disiez » et non : « Il faut que vous le lui dites ».

18 Coudre 3e groupe

Présent : je couds, tu couds, il coud, nous cousons, vous cousez, ils cousent.
Imparfait : je cousais, tu cousais, il cousait, nous cousions, vous cousiez, ils cousaient.
Passé simple : je cousis, tu cousis, il cousit, nous cousîmes, vous cousîtes, ils cousirent.
Futur simple : je coudrai, tu coudras, il coudra, nous coudrons, vous coudrez, ils coudront.
Passé composé : j'ai cousu, tu as cousu, il a cousu, nous avons cousu, vous avez cousu, ils ont cousu.

Conditionnel présent : je coudrais, tu coudrais, il coudrait, nous coudrions, vous coudriez, ils coudraient.
Subjonctif présent : que je couse, que tu couses, qu'il couse, que nous cousions, que vous cousiez, qu'ils cousent.
Subjonctif passé : que j'aie cousu, que tu aies cousu, qu'il ait cousu, que nous ayons cousu, que vous ayez cousu, qu'ils aient cousu
Subjonctif imparfait : que je cousisse, que tu cousisses, qu'il cousît, que nous cousissions, que vous cousissiez, qu'ils cousissent.
Impératif présent : couds, cousons, cousez.
Participe présent : cousant. **Participe passé :** cousu.

19 Courir 3e groupe

Présent : je cours, tu cours, il court, nous courons, vous courez, ils courent.
Imparfait : je courais, tu courais, il courait, nous courions, vous couriez, ils couraient.
Passé simple : je courus, tu courus, il courut, nous courûmes, vous courûtes, ils coururent.
Futur simple : je courrai, tu courras, il courra, nous courrons, vous courrez, ils courront.
Passé composé : j'ai couru, tu as couru, il a couru, nous avons couru, vous avez couru, ils ont couru.

Conditionnel présent : je courrais, tu courrais, il courrait, nous courrions, vous courriez, ils courraient.
Subjonctif présent : que je coure, que tu coures, qu'il coure, que nous courions, que vous couriez, qu'ils courent.
Subjonctif passé : que j'aie couru, que tu aies couru, qu'il ait couru, que nous ayons couru, que vous ayez couru, qu'ils aient couru
Subjonctif imparfait : que je courusse, que tu courusses, qu'il courût, que nous courussions, que vous courussiez, qu'ils courussent.
Impératif présent : cours, courons, courez.
Participe présent : courant. **Participe passé :** couru.

20 Craindre 3e groupe

Présent : je crains, tu crains, il craint, nous craignons, vous craignez, ils craignent.
Imparfait : je craignais, tu craignais, il craignait, nous craignions, vous craigniez, ils craignaient.
Passé simple : je craignis, tu craignis, il craignit, nous craignîmes, vous craignîtes, ils craignirent.
Futur simple : je craindrai, tu craindras, il craindra, nous craindrons, vous craindrez, ils craindront.
Passé composé : j'ai craint, tu as craint, il a craint, nous avons craint, vous avez craint, ils ont craint.

Conditionnel présent : je craindrais, tu craindrais, il craindrait, nous craindrions, vous craindriez, ils craindraient.
Subjonctif présent : que je craigne, que tu craignes, qu'il craigne, que nous craignions, que vous craigniez, qu'ils craignent.
Subjonctif passé : que j'aie craint, que tu aies craint, qu'il ait craint, que nous ayons craint, que vous ayez craint, qu'ils aient craint.
Subjonctif imparfait : que je craignisse, que tu craignisses, qu'il craignît, que nous craignissions, que vous craignissiez, qu'ils craignissent.
Impératif présent : crains, craignons, craignez.
Participe présent : craignant. **Participe passé :** craint.

21 Créer 1er groupe

Présent : je crée, tu crées, il crée, nous créons, vous créez, ils créent.
Imparfait : je créais, tu créais, il créait, nous créions, vous créiez, ils créaient.
Passé simple : je créai, tu créas, il créa, nous créâmes, vous créâtes, ils créèrent.
Futur simple : je créerai, tu créeras, il créera, nous créerons, vous créerez, ils créeront.
Passé composé : j'ai créé, tu as créé, il a créé,

nous avons créé, vous avez créé, ils ont créé.
Conditionnel présent : je créerais, tu créerais, il créerait, nous créerions, vous créeriez, ils créeraient.
Subjonctif présent : que je crée, que tu crées, qu'il crée, que nous créions, que vous créiez, qu'ils créent.
Subjonctif passé : que j'aie créé, que tu aies créé, qu'il ait créé, que nous ayons créé, que vous ayez créé, qu'ils aient créé.
Subjonctif imparfait : que je créasse, que tu créasses, qu'il créât, que nous créassions, que vous créassiez, qu'ils créassent.
Impératif présent : crée, créons, créez.
Participe présent : créant. **Participe passé :** créé.

Les verbes terminés par « éer », « ier », « ouer », « uer »

Conjugués au futur simple et au conditionnel présent, les verbes terminés par « éer », « ier », « ouer », « uer » prennent un « e » avant leur terminaison : *je gréerai, tu prierais, il louera, nous muerons, je tatouerais, tu suerais, il scierait, vous trieriez, etc.*

Par ailleurs, le participe passé des verbes terminés par « éer » prend, même si on peut s'en étonner, deux « é », et à ce « é » peut s'ajouter le « e » de l'accord du féminin : *créée, gréée...*

Les verbes terminés par « ier » possèdent une particularité : ils prennent deux « i » aux deux premières personnes du pluriel de l'imparfait de l'indicatif : *nous criions, nous épiions, vous pliiez, nous riions, vous riiez, vous triiez.* On retrouve cette orthographe aux deux premières personnes du pluriel du subjonctif présent : *Il faudrait que nous nous étudiions le problème. Il est nécessaire que nous nous pliions bagages.*

22 Crier 1er groupe

Présent : je crie, tu cries, il crie, nous crions, vous criez, ils crient.
Imparfait : je criais, tu criais, il criait, nous criions, vous criiez, ils criaient.
Passé simple : je criai, tu crias, il cria, nous criâmes, vous criâtes, ils crièrent.
Futur simple : je crierai, tu crieras, il criera, nous crierons, vous crierez, ils crieront.
Passé composé : j'ai crié, tu as crié, il a crié, nous avons crié, vous avez crié, ils ont crié.
Conditionnel présent : je crierais, tu crierais, il crierait, nous crierions, vous crieriez, ils crieraient.
Subjonctif présent : que je crie, que tu cries, qu'il crie, que nous criions, que vous criiez, qu'ils crient.
Subjonctif passé : que j'aie crié, que tu aies crié, qu'il ait crié, que nous ayons crié, que vous ayez crié, qu'ils aient crié.

Subjonctif imparfait : que je criasse, que tu criasses, qu'il criât, que nous criassions, que vous criassiez, qu'ils criassent.
Impératif présent : crie, crions, criez.
Participe présent : criant. **Participe passé :** crié.

23 Croire 3e groupe

Présent : je crois, tu crois, il croit, nous croyons, vous croyez, ils croient.
Imparfait : je croyais, tu croyais, il croyait, nous croyions, vous croyiez, ils croyaient.
Passé simple : je crus, tu crus, il crut, nous crûmes, vous crûtes, ils crurent.
Futur simple : je croirai, tu croiras, il croira, nous croirons, vous croirez, ils croiront.
Passé composé : j'ai cru, tu as cru, il a cru, nous avons cru, vous avez cru, ils ont cru.
Conditionnel présent : je croirais, tu croirais, il croirait, nous croirions, vous croiriez, ils croiraient.
Subjonctif présent : que je croie, que tu croies, qu'il croie, que nous croyions, que vous croyiez, qu'ils croient.
Subjonctif passé : que j'aie cru, que tu aies cru, qu'il ait cru, que nous ayons cru, que vous ayez cru, qu'ils aient cru
Subjonctif imparfait : que je crusse, que tu crusses,

qu'il crût, que nous crussions, que vous crussiez, qu'ils crussent.
Impératif présent : crois, croyons, croyez.
Participe présent : croyant. **Participe passé :** cru.

24 Croître 3e groupe

Présent : je croîs, tu croîs, il croît, nous croissons, vous croissez, ils croissent.
Imparfait : je croissais, tu croissais, il croissait, nous croissions, vous croissiez, ils croissaient.
Passé simple : je crûs, tu crûs, il crût, nous crûmes, vous crûtes, ils crûrent.
Futur simple : je croîtrai, tu croîtras, il croîtra, nous croîtrons, vous croîtrez, ils croîtront.
Passé composé : j'ai crû, tu as crû, il a crû, nous avons crû, vous avez crû, ils ont crû.
Conditionnel présent : je croîtrais, tu croîtrais, il croîtrait, nous croîtrions, vous croîtriez, ils croîtraient.
Subjonctif présent : que je croisse, que tu croisses, qu'il croisse, que nous croissions, que vous croissiez, qu'ils croissent.
Subjonctif passé : que j'aie crû, que tu aies crû, qu'il ait crû, que nous ayons crû, que vous ayez crû, qu'ils aient crû.
Subjonctif imparfait : que je crûsse, que tu crûsses,

qu'il crût, que nous crûssions, que vous crûssiez, qu'ils crûssent.
Impératif présent : crois, croissons, croissez.
Participe présent : croissant. **Participe passé :** crû.

25 Cueillir 3e groupe

Présent : je cueille, tu cueilles, il cueille, nous cueillons, vous cueillez, ils cueillent.
Imparfait : je cueillais, tu cueillais, il cueillait, nous cueillions, vous cueilliez, ils cueillaient.
Passé simple : je cueillis, tu cueillis, il cueillit, nous cueillîmes, vous cueillîtes, ils cueillirent.
Futur simple : je cueillerai, tu cueilleras, il cueillera, nous cueillerons, vous cueillerez, ils cueilleront.
Passé composé : j'ai cueilli, tu as cueilli, il a cueilli, nous avons cueilli, vous avez cueilli, ils ont cueilli.
Conditionnel présent : je cueillerais, tu cueillerais, il cueillerait, nous cueillerions, vous cueilleriez, ils cueilleraient.
Subjonctif présent : que je cueille, que tu cueilles, qu'il cueille, que nous cueillions, que vous cueilliez, qu'ils cueillent.
Subjonctif passé : que j'aie cueilli, que tu aies cueilli, qu'il ait cueilli, que nous ayons cueilli, que vous ayez cueilli, qu'ils aient cueilli.

Subjonctif imparfait : que je cueillisse, que tu cueillisses, qu'il cueillît, que nous cueillissions, que vous cuei lissiez, qu'ils cueillissent.
Impératif présent : cueille, cueillons, cueillez.
Participe présent : cueillant. **Participe passé :** cueilli.

26 Déceler 1er groupe

Présent : je décèle, tu décèles, il décèle, nous décelons, vous décelez, ils décèlent.
Imparfait : je décelais, tu décelais, il décelait, nous décelions, vous déceliez, ils décelaient.
Passé simple : je décelai, tu décelas, il décela, nous décelâmes, vous décelâtes, ils décelèrent.
Futur simple : je décèlerai, tu décèleras, il décèlera, nous décèlerons, vous décèlerez, ils décèleront.
Passé composé : j'ai décelé, tu as décelé, il a décelé, nous avons décelé, vous avez décelé, ils ont décelé.
Conditionnel présent : je décèlerais, tu décèlerais, il décèlerait, nous décèlerions, vous décèleriez, ils décèleraient.
Subjonctif présent : que je décèle, que tu décèles, qu'il décèle, que nous décelions, que vous déceliez, qu'ils décèlent.
Subjonctif passé : que j'aie décelé, que tu aies décelé, qu'il ait décelé, que nous ayons décelé,

que vous ayez décelé, qu'ils aient décelé.
Subjonctif imparfait : que je décelasse, que tu décelasses, qu'il décelât, que nous décelassions, que vous décelassiez, qu'ils décelassent.
Impératif présent : décèle, décelons, decelez.
Participe présent : decelant. **Participe passé :** décelé.

26 Dépecer (2) 1er groupe

Présent : je dépèce, tu dépèces, il dépèce, nous dépeçons, vous dépecez, ils dépècent.
Imparfait : je dépeçais, tu dépeçais, il dépeçait, nous dépecions, vous dépeciez, ils dépeçaient.
Passé simple : je dépeçai, tu dépeças, il dépeça, nous dépeçâmes, vous dépeçâtes, ils dépecèrent.
Futur simple : je dépècerai, tu dépèceras, il dépècera, nous dépècerons, vous dépècerez, ils dépèceront.
Passé composé : j'ai dépecé, tu as dépecé, il a dépecé, nous avons dépecé, vous avez dépecé, ils ont dépecé.
Conditionnel présent : je dépècerais, tu dépècerais, il dépècerait, nous dépècerions, vous dépèceriez, ils dépèceraient.
Subjonctif présent : que je dépèce, que tu dépèces, qu'il dépèce, que nous dépecions, que vous dépeciez, qu'ils dépècent.
Subjonctif passé : que j'aie dépecé, que tu aies dépecé,

qu'il ait dépecé, que nous ayons dépecé,
que vous ayez dépecé, qu'ils aient dépecé.
Subjonctif imparfait : que je dépeçasse, que tu dépeçasses, qu'il dépeçât, cue nous dépeçassions, que vous dépeçassiez, qu'ils dépeçassent.
Impératif présent : dépèce, dépeçons, dépecez.
Participe présent : dépeçant. **Participe passé :** dépecé.

Les verbes en « ecer », « emer », « ener », etc.

Les verbes qui se terminent par « ecer » (il n'en existe qu'un, « dépecer »), « emer », « ener », « eper » (« receper » est le seul), « erer » (« liserer », il n'y en a pas d'autre), « ever », « evrer » (« sevrer » est le seul), changent le « e » de l'avant-dernière syllabe en « è » devant une syllabe muette, c'est-à-dire une syllabe dont le « e » ne se prononce pas. Ainsi, le verbe « élever » se conjugue au présent en utilisant le « è » : *j'élève ;* de même au futur simple : *j'élèverai.* Pour le verbe « peser » : *je pèse, je pèserai.* Mais : *nous élevons* (la syllabe qui suit le « e » n'est pas muette, *nous pesons, nous soulevons*).

27 Devoir 3e groupe

Présent : je dcis, tu dois, il doit, nous devons,

vous devez, ils doivent.
Imparfait : je devais, tu devais, il devait, nous devions, vous deviez, ils devaient.
Passé simple : je dus, tu dus, il dut, nous dûmes, vous dûtes, ils durent.
Futur simple : je devrai, tu devras, il devra, nous devrons, vous devrez, ils devront.
Passé composé : j'ai dû, tu as dû, il a dû, nous avons dû, vous avez dû, ils ont dû.
Conditionnel présent : je devrais, tu devrais, il devrait, nous devrions, vous devriez, ils devraient.
Subjonctif présent : que je doive, que tu doives, qu'il doive, que nous devions, que vous deviez, qu'ils doivent.
Subjonctif passé : que j'aie dû, que tu aies dû, qu'il ait dû, que nous ayons dû, que vous ayez dû, qu'ils aient dû.
Subjonctif imparfait : que je dusse, que tu dusses, qu'il dût, que nous dussions, que vous dussiez, qu'ils dussent.
Impératif présent : dois, devons, devez.
Participe présent : devant.
Participe passé : dû, due, dus, dues.

28 Dire 3e groupe

Présent : je dis, tu dis, il dit, nous disons, vous dites, ils disent.

Imparfait : je disais, tu disais, il disait, nous disions, vous disiez, ils disaient.
Passé simple : je dis, tu dis, il dit, nous dîmes, vous dîtes, ils dirent.
Futur simple : je dirai, tu diras, il dira, nous dirons, vous direz, ils diront.
Passé composé : j'ai dit, tu as dit, il a dit, nous avons dit, vous avez dit, ils ont dit.
Conditionnel présent : je dirais, tu dirais, il dirait, nous dirions, vous diriez, ils diraient.
Subjonctif présent : que je dise, que tu dises, qu'il dise, que nous disions, que vous disiez, qu'ils disent.
Subjonctif passé : que j'aie dit, que tu aies dit, qu'il ait dit, que nous ayons dit, que vous ayez dit, qu'ils aient dit.
Subjonctif imparfait : que je disse, que tu disses, qu'il dît, que nous dissions, que vous dissiez, qu'ils dissent.
Impératif présent : dis, disons, dites.
Participe présent : disant. **Participe passé :** dit.

29 Dormir 3e groupe

Présent : je dors, tu dors, il dort, nous dormons, vous dormez, ils dorment.
Imparfait : je dormais, tu dormais, il dormait, nous dormions, vous dormiez, ils dormaient.
Passé simple : je dormis, tu dormis, il dormit,

nous dormîmes, vous dormîtes, ils dormirent.
Futur simple : je dormirai, tu dormiras, il dormira, nous dormirons, vous dormirez, ils dormiront.
Passé composé : j'ai dormi, tu as dormi, il a dormi, nous avons dormi, vous avez dormi, ils ont dormi.
Conditionnel présent : je dormirais, tu dormirais, il dormirait, nous dormirions, vous dormiriez, ils dormiraient.
Subjonctif présent : que je dorme, que tu dormes, qu'il dorme, que nous dormions, que vous dormiez, qu'ils dorment.
Subjonctif passé : que j'aie dormi, que tu aies dormi, qu'il ait dormi, que nous ayons dormi, que vous ayez dormi, qu'ils aient dormi.
Subjonctif imparfait : que je dormisse, que tu dormisses, qu'il dormît, que nous dormissions, que vous dormissiez, qu'ils dormissent.
Impératif présent : dors, dormons, dormez.
Participe présent : dormant. **Participe passé :** dormi.

30 Écrire 3e groupe

Présent : j'écris, tu écris, il écrit, nous écrivons, vous écrivez, ils écrivent.
Imparfait : j'écrivais, tu écrivais, il écrivait, nous écrivions, vous écriviez, ils écrivaient.

Passé simple : j'écrivis, tu écrivis, il écrivit, nous écrivîmes, vous écrivîtes, ils écrivirent.
Futur simple : j'écrirai, tu écriras, il écrira, nous écrirons, vous écrirez, ils écriront.
Passé composé : j'ai écrit, tu as écrit, il a écrit, nous avons écrit, vous avez écrit, ils ont écrit.
Conditionnel présent : j'écrirais, tu écrirais, il écrirait, nous écririons, vous écririez, ils écriraient.
Subjonctif présent : que j'écrive, que tu écrives, qu'il écrive, que nous écrivions, que vous écriviez, qu'ils écrivent.
Subjonctif passé : que j'aie écrit, que tu aies écrit, qu'il ait écrit, que nous ayons écrit, que vous ayez écrit, qu'ils aient écrit.
Subjonctif imparfait : que j'écrivisse, que tu écrivisses, qu'il écrivît, que nous écrivissions, que vous écrivissiez, qu'ils écrivissent.
Impératif présent : écris, écrivons, écrivez.
Participe présent : écrivant. **Participe passé :** écrit.

31 Employer 1er groupe

Présent : j'emploie, tu emploies, il emploie, nous employons, vous employez, ils emploient.
Imparfait : j'employais, tu employais, il employait, nous employions, vous employiez, ils employaient.

Passé simple : j'employai, tu employas, il employa, nous employâmes, vous employâtes, ils employèrent.
Futur simple : j'emploierai, tu emploieras, il emploiera, nous emploierons, vous emploierez, ils emploieront.
Passé composé : j'ai employé, tu as employé, il a employé, nous avons employé, vous avez employé, ils ont employé.
Conditionnel présent : j'emploierais, tu emploierais, il emploierait, nous emploierions, vous emploieriez, ils emploieraient.
Subjonctif présent : que j'emploie, que tu emploies, qu'il emploie, que nous employions, que vous employiez, qu'ils emploient.
Subjonctif passé : que j'aie employé, que tu aies employé, qu'il ait employé, que nous ayons employé, que vous ayez employé, qu'ils aient employé.
Subjonctif imparfait : que j'employasse, que tu employasses, qu'il employât, que nous employassions, que vous employassiez, qu'ils employassent.
Impératif présent : emploie, employons, employez.
Participe présent : employant. **Participe passé :** employé.

Les verbes terminés par « oyer » ou « uyer »

Les verbes terminés par « oyer » ou « uyer » changent le « y » en « i » devant un « e » muet : *j'essuie, tu nettoies, nous nettoyons, vous nettoierez, je côtoie, nous*

côtoyons, tu côtoieras, tu festoies, nous festoyons, ils festoieront, j'octroie, nous octroyons, nous octroierons.
Par ailleurs, tous les verbes terminés par « yer » prennent un « i » après le « y » aux 1re et 2e personnes du pluriel de l'indicatif imparfait et du subjonctif présent : *Hier, nous nettoyions. Aujourd'hui, il faut que nous balayions. Il serait normal que vous nous octroyiez une prime.*

32 Envoyer 1er groupe

Présent : j'envoie, tu envoies, il envoie, nous envoyons, vous envoyez, ils envoient.
Imparfait : j'envoyais, tu envoyais, il envoyait, nous envoyions, vous envoyiez, ils envoyaient.
Passé simple : j'envoyai, tu envoyas, il envoya, nous envoyâmes, vous envoyâtes, ils envoyèrent.
Futur simple : j'enverrai, tu enverras, il enverra, nous enverrons, vous enverrez, ils enverront.
Passé composé : j'ai envoyé, tu as envoyé, il a envoyé, nous avons envoyé, vous avez envoyé, ils ont envoyé.
Conditionnel présent : j'enverrais, tu enverrais, il enverrait, nous enverrions, vous enverriez, ils enverraient.
Subjonctif présent : que j'envoie, que tu envoies, qu'il envoie, que nous envoyions, que vous envoyiez,

qu'ils envoient.
Subjonctif passé : que j'aie envoyé, que tu aies envoyé, qu'il ait envoyé, que nous ayons envoyé, que vous ayez envoyé, qu'ils aient envoyé.
Subjonctif imparfait : que j'envoyasse, que tu envoyasses, qu'il envoyât, que nous envoyassions, que vous envoyassiez, qu'ils envoyassent.
Impératif présent : envoie, envoyons, envoyez.
Participe présent : envoyant. **Participe passé :** envoyé.

33 Essuyer 1er groupe

Présent : j'essuie, tu essuies, il essuie, nous essuyons, vous essuyez, ils essuient.
Imparfait : j'essuyais, tu essuyais, il essuyait, nous essuyions, vous essuyiez, ils essuyaient.
Passé simple : j'essuyai, tu essuyas, il essuya, nous essuyâmes, vous essuyâtes, ils essuyèrent.
Futur simple : j'essuierai, tu essuieras, il essuiera, nous essuierons, vous essuierez, ils essuieront.
Passé composé : j'ai essuyé, tu as essuyé, il a essuyé, nous avons essuyé, vous avez essuyé, ils ont essuyé.
Conditionnel présent : j'essuierais, tu essuierais, il essuierait, nous essuierions, vous essuieriez, ils essuieraient.
Subjonctif présent : que j'essuie, que tu essuies,

qu'il essuie, que nous essuyions, que vous essuyiez, qu'ils essuient.
Subjonctif passé : que j'aie essuyé, que tu aies essuyé, qu'il ait essuyé, que nous ayons essuyé, que vous ayez essuyé, qu'ils aient essuyé.
Subjonctif imparfait : que j'essuyasse, que tu essuyasses, qu'il essuyât, que nous essuyassions, que vous essuyassiez, qu'ils essuyassent.
Impératif présent : essuie, essuyons, essuyez.
Participe présent : essuyant. **Participe passé :** essuyé.

34 Être

Présent : je suis, tu es, il est, nous sommes, vous êtes, ils sont.
Imparfait : j'étais, tu étais, il était, nous étions, vous étiez, ils étaient.
Passé simple : je fus, tu fus, il fut, nous fûmes, vous fûtes, ils furent.
Futur simple : je serai, tu seras, il sera, nous serons, vous serez, ils seront.
Passé composé : j'ai été, tu as été, il a été, nous avons été, vous avez été, ils ont été.
Conditionnel présent : je serais, tu serais, il serait, nous serions, vous seriez, ils seraient.
Subjonctif présent : que je sois, que tu sois, qu'il soit,

que nous soyons, que vous soyez, qu'ils soient.
Subjonctif passé : que j'aie été, que tu aies été, qu'il ait été, que nous ayons été, que vous ayez été, qu'ils aient été.
Subjonctif imparfait : que je fusse, que tu fusses, qu'il fût, que nous fussions, que vous fussiez, qu'ils fussent.
Impératif présent : sois, soyons, soyez.
Participe présent : étant. **Participe passé :** été (invariable).

35 Évoluer 1er groupe

Présent : j'évolue, tu évolues, il évolue, nous évoluons, vous évoluez, ils évoluent.
Imparfait : j'évoluais, tu évoluais, il évoluait, nous évoluions, vous évoluiez, ils évoluaient.
Passé simple : j'évoluai, tu évoluas, il évolua, nous évoluâmes, vous évoluâtes, ils évoluèrent.
Futur simple : j'évoluerai, tu évolueras, il évoluera, nous évoluerons, vous évoluerez, ils évolueront.
Passé composé : j'ai évolué, tu as évolué, il a évolué, nous avons évolué, vous avez évolué, ils ont évolué.
Conditionnel présent : j'évoluerais, tu évoluerais, il évoluerait, nous évoluerions, vous évolueriez, ils évolueraient.
Subjonctif présent : que j'évolue, que tu évolues, qu'il évolue, que nous évoluions, que vous évoluiez,

qu'ils évoluent.
Subjonctif passé : que j'aie évolué, que tu aies évolué, qu'il ait évolué, que nous ayons évolué, que vous ayez évolué, qu'ils aient évolué.
Subjonctif imparfait : que j'évoluasse, que tu évoluasses, qu'il évoluât, que nous évoluassions, que vous évoluassiez, qu'ils évoluassent.
Impératif présent : évolue, évoluons, évoluez.
Participe présent : évoluant. **Participe passé :** évolué.

36 Extraire 3e groupe

Présent : j'extrais, tu extrais, il extrait, nous extrayons, vous extrayez, ils extraient.
Imparfait : j'extrayais, tu extrayais, il extrayait, nous extrayions, vous extrayiez, ils extrayaient.
Passé simple : inusité.
Futur simple : j'extrairai, tu extrairas, il extraira, nous extrairons, vous extrairez, ils extrairont.
Passé composé : j'ai extrait, tu as extrait, il a extrait, nous avons extrait, vous avez extrait, ils ont extrait.
Conditionnel présent : j'extrairais, tu extrairais, il extrairait, nous extrairions, vous extrairiez, ils extrairaient.
Subjonctif présent : que j'extraie, que tu extraies, qu'il extraie, que nous extrayions, que vous extrayiez, qu'ils extraient.

Subjonctif passé : que j'aie extrait, que tu aies extrait, qu'il ait extrait, que nous ayons extrait, que vous ayez extrait, qu'ils aient extrait.
Subjonctif imparfait : inusité.
Impératif présent : extrais, extrayons, extrayez.
Participe présent : extrayant. **Participe passé :** extrait.

37 Faillir 3e groupe

Présent et imparfait : inusité.
Passé simple : je faillis, tu faillis, il faillit, nous faillîmes, vous faillîtes, ils faillirent.
Futur simple : je faillirai, tu failliras, il faillira, nous faillirons, vous faillirez, ils failliront.
Passé composé : j'ai failli, tu as failli, il a failli, nous avons failli, vous avez failli, ils ont failli.
Conditionnel présent : je faillirais, tu faillirais, il faillirait, nous faillirions, vous failliriez, ils failliraient.
Subjonctif présent : que je faillisse, que tu faillisses, qu'il faillisse, que nous faillissions, que vous faillissiez, qu'ils faillissent.
Subjonctif passé : que j'aie failli, que tu aies failli, qu'il ait failli, que nous ayons failli, que vous ayez failli, qu'ils aient failli.
Subjonctif imparfait : que je faillisse, que tu faillisses, qu'il faillît, que nous faillissions, que vous faillissiez, qu'ils faillissent.

Impératif présent : faillis, faillissons, faillissez ou faux, faillons, faillez.
Participe présent : faillissant ou faillant.
Participe passé : failli.

Faillir : formes rares

On peut rencontrer, cependant, pour le présent : *je faillis, tu faillis, il faillit, nous faillissons, vous faillissez, ils faillissent*, ou bien l'ancienne conjugaison : *je faux, tu faux, il faut, nous faillons, vous faillez, ils faillent ;* pour l'imparfait, on rencontre parfois : *je faillissais, tu faillissais, etc.*, ou bien l'ancienne conjugaison : *je faillais, tu faillais*, etc.
Beaucoup des formes de ce verbe sont d'un emploi rare.

38 Faire 3e groupe

Présent : je fais, tu fais, il fait, nous faisons, vous faites, ils font.
Imparfait : je faisais, tu faisais, il faisait, nous faisions, vous faisiez, ils faisaient.
Passé simple : je fis, tu fis, il fit, nous fîmes, vous fîtes, ils firent.
Futur simple : je ferai, tu feras, il fera, nous ferons, vous ferez, ils feront.
Passé composé : j'ai fait, tu as fait, il a fait,

nous avons fait, vous avez fait, ils ont fait.
Conditionnel présent : je ferais, tu ferais, il ferait, nous ferions, vous feriez, ils feraient.
Subjonctif présent : que je fasse, que tu fasses, qu'il fasse, que nous fassions, que vous fassiez, qu'ils fassent.
Subjonctif passé : que j'aie fait, que tu aies fait, qu'il ait fait, que nous ayons fait, que vous ayez fait, qu'ils aient fait.
Subjonctif imparfait : que je fisse, que tu fisses, qu'il fît, que nous fissions, que vous fissiez, qu'ils fissent.
Impératif présent : fais, faisons, faites.
Participe présent : faisant. **Participe passé :** fait.

39 Finir 2e groupe

Présent : je finis, tu finis, il finit, nous finissons, vous finissez, ils finissent.
Imparfait : je finissais, tu finissais, il finissait, nous finissions, vous finissiez, ils finissaient.
Passé simple : je finis, tu finis, il finit, nous finîmes, vous finîtes, ils finirent.
Futur simple : je finirai, tu finiras, il finira, nous finirons, vous finirez, ils finiront.
Passé composé : j'ai fini, tu as fini, il a fini, nous avons fini, vous avez fini, ils ont fini.

Conditionnel présent : je finirais, tu finirais, il finirait, nous finirions, vous finiriez, ils finiraient.
Subjonctif présent : que je finisse, que tu finisses, qu'il finisse, que nous finissions, que vous finissiez, qu'ils finissent.
Subjonctif passé : que j'aie fini, que tu aies fini, qu'il ait fini, que nous ayons fini, que vous ayez fini, qu'ils aient fini.
Subjonctif imparfait : que je finisse, que tu finisses, qu'il finît, que nous finissions, que vous finissiez, qu'ils finissent.
Impératif présent : finis, finissons, finissez.
Participe présent : finissant. **Participe passé :** fini.

40 Fuir 3e groupe

Présent : je fuis, tu fuis, il fuit, nous fuyons, vous fuyez, ils fuient.
Imparfait : je fuyais, tu fuyais, il fuyait, nous fuyions, vous fuyiez, ils fuyaient.
Passé simple : je fuis, tu fuis, il fuit, nous fuîmes, vous fuîtes, ils fuirent.
Futur simple : je fuirai, tu fuiras, il fuira, nous fuirons, vous fuirez, ils fuiront.
Passé composé : j'ai fui, tu as fui, il a fui, nous avons fui, vous avez fui, ils ont fui.

Conditionnel présent : je fuirais, tu fuirais, il fuirait, nous fuirions, vous fuiriez, ils fuiraient.
Subjonctif présent : que je fuie, que tu fuies, qu'il fuie, que nous fuyions, que vous fuyiez, qu'ils fuient.
Subjonctif passé : que j'aie fui, que tu aies fui, qu'il ait fui, que nous ayons fui, que vous ayez fui, qu'ils aient fui.
Subjonctif imparfait : que je fuisse, que tu fuisses, qu'il fuît, que nous fuissions, que vous fuissiez, qu'ils fuient.
Impératif présent : fuis, fuyons, fuyez.
Participe présent : fuyant. **Participe passé :** fui.

41 Haïr 3e groupe

Présent : je hais, tu hais, il hait, nous haïssons, vous haïssez, ils haïssent.
Imparfait : je haïssais, tu haïssais, il haïssait, nous haïssions, vous haïssiez, ils haïssaient.
Passé simple : je haïs, tu haïs, il haït, nous haïmes, vous haïtes, ils haïrent.
Futur simple : je haïrai, tu haïras, il haïra, nous haïrons, vous haïrez, ils haïront.
Passé composé : j'ai haï, tu as haï, il a haï, nous avons haï, vous avez haï, ils ont haï.
Conditionnel présent : je haïrais, tu haïrais, il haïrait, nous haïrions, vous haïriez, ils haïraient.

Subjonctif présent : que je haïsse, que tu haïsses, qu'il haïsse, que nous haïssions, que vous haïssiez, qu'ils haïssent.
Subjonctif passé : que j'aie haï, que tu aies haï, qu'il ait haï, que nous ayons haï, que vous ayez haï, qu'ils aient haï.
Subjonctif imparfait : que je haïsse, que tu haïsses, qu'il haït (pas de différence ici avec le passé simple à la même personne), que nous haïssions, que vous haïssiez, qu'ils haïssent.
Impératif présent : hais, haïssons, haïssez.
Participe présent : haïssant. **Participe passé :** haï.

Comment bien haïr ?

La première lettre du verbe « haïr » est un « h » aspiré. Cela signifie, qu'en aucun cas, on ne doit faire la liaison avec ce qui le précède. Ainsi, on dit « je haïssais », en détachant bien le « je » du verbe (et non « j'haïssais »). Attention à la différence de prononciation entre je hais (è) au présent, et je haïs (a - i) au passé simple. La 1re personne de l'impératif présent ne comporte pas de tréma sur le « i » : « hais » (è).

42 Jeter 1er groupe

Présent : je jette, tu jettes, il jette, nous jetons, vous jetez, ils jettent.

Imparfait : je jetais, tu jetais, il jetait, nous jetions, vous jetiez, ils jetaient.
Passé simple : je jetai, tu jetas, il jeta, nous jetâmes, vous jetâtes, ils jetèrent.
Futur simple : je jetterai, tu jetteras, il jettera, nous jetterons, vous jetterez, ils jetteront.
Passé composé : j'ai jeté, tu as jeté, il a jeté, nous avons jeté, vous avez jeté, ils ont jeté.
Conditionnel présent : je jetterais, tu jetterais, il jetterait, nous jetterions, vous jetteriez, ils jetteraient.
Subjonctif présent : que je jette, que tu jettes, qu'il jette, que nous jetions, que vous jetiez, qu'ils jettent.
Subjonctif passé : que j'aie jeté, que tu aies jeté, qu'il ait jeté, que nous ayons jeté, que vous ayez jeté, qu'ils aient jeté.
Subjonctif imparfait : que je jetasse, que tu jetasses, qu'il jetât, que nous jetassions, que vous jetassiez, qu'ils jetassent.
Impératif présent : jette, jetons, jetez.
Participe présent : jetant. **Participe passé :** jeté.

Les verbes terminés par « eter »

Les verbes terminés par « eter » redoublent le « t » de leur radical dès que le « e » qui précède ce « t » est prononcé « è » : *tu jetteras, qu'elle jette.*
On énonce, parfois, cette règle d'une façon différente : les verbes en « eter » redoublent le « t » devant un « e » muet, c'est-à-dire un « e » qu'on ne prononce pas, tel le

« e » final dans je jette.
Plusieurs verbes font exception à cette règle : *acheter* et ses composés (C1), *breveter, corseter, crocheter, fileter, fureter, haleter : je furète, je halète.*

43 Joindre 3e groupe

Présent : je joins, tu joins, il joint, nous joignons, vous joignez, ils joignent.
Imparfait : je joignais, tu joignais, il joignait, nous joignions, vous joigniez, ils joignaient.
Passé simple : je joignis, tu joignis, il joignit, nous joignîmes, vous joignîtes, ils joignirent.
Futur simple : je joindrai, tu joindras, il joindra, nous joindrons, vous joindrez, ils joindront.
Passé composé : j'ai joint, tu as joint, il a joint, nous avons joint, vous avez joint, ils ont joint.
Conditionnel présent : je joindrais, tu joindrais, il joindrait, nous joindrions, vous joindriez, ils joindraient.
Subjonctif présent : que je joigne, que tu joignes, qu'il joigne, que nous joignions, que vous joigniez, qu'ils joignent.
Subjonctif passé : que j'aie joint, que tu aies joint, qu'il ait joint, que nous ayons joint, que vous ayez joint, qu'ils aient joint.
Subjonctif imparfait : que je joignisse, que tu joignisses,

qu'il joignît, que nous joignissions, que vous joignissiez, qu'ils joignissent.
Impératif présent : joins, joignons, joignez.
Participe présent : joignant. **Participe passé :** joint.

44 Lire 3e groupe

Présent : je lis, tu lis, il lit, nous lisons, vous lisez, ils lisent.
Imparfait : je lisais, tu lisais, il lisait, nous lisions, vous lisiez, ils lisaient.
Passé simple : je lus, tu lus, il lut, nous lûmes, vous lûtes, ils lurent.
Futur simple : je lirai, tu liras, il lira, nous lirons, vous lirez, ils liront.
Passé composé : j'ai lu, tu as lu, il a lu, nous avons lu, vous avez lu, ils ont lu.
Conditionnel présent : je lirais, tu lirais, il lirait, nous lirions, vous liriez, ils liraient.
Subjonctif présent : que je lise, que tu lises, qu'il lise, que nous lisions, que vous lisiez, qu'ils lisent.
Subjonctif passé : que j'aie lu, que tu aies lu, qu'il ait lu, que nous ayons lu, que vous ayez lu, qu'ils aient lu.
Subjonctif imparfait : que je lusse, que tu lusses, qu'il lût, que nous lussions, que vous lussiez, qu'ils lussent.
Impératif présent : lis, lisons, lisez.

Participe présent : lisant. **Participe passé :** lu.

45 Louer 1er groupe

Présent : je loue, tu loues, il loue, nous louons, vous louez, ils louent.
Imparfait : je louais, tu louais, il louait, nous louions, vous louiez, ils louaient.
Passé simple : je louai, tu louas, il loua, nous louâmes, vous louâtes, ils louèrent.
Futur simple : je louerai, tu loueras, il louera, nous louerons, vous louerez, ils loueront.
Passé composé : j'ai loué, tu as loué, il a loué, nous avons loué, vous avez loué, ils ont loué.
Conditionnel présent : je louerais, tu louerais, il louerait, nous louerions, vous loueriez, ils loueraient.
Subjonctif présent : que je loue, que tu loues, qu'il loue, que nous louions, que vous louiez, qu'ils louent.
Subjonctif passé : que j'aie loué, que tu aies loué, qu'il ait loué, que nous ayons loué, que vous ayez loué, qu'ils aient loué.
Subjonctif imparfait : que je louasse, que tu louasses, qu'il louât, que nous louassions, que vous louassiez, qu'ils louassent.
Impératif présent : loue, louons, louez.
Participe présent : louant. **Participe passé :** loué.

46 Maudire 2e groupe

Présent : je maudis, tu maudis, il maudit, nous maudissons, vous maudissez, ils maudissent.
Imparfait : je maudissais, tu maudissais, il maudissait, nous maudissions, vous maudissiez, ils maudissaient.
Passé simple : je maudis, tu maudis, il maudit, nous maudîmes, vous maudîtes, ils maudirent.
Futur simple : je maudirai, tu maudiras, il maudira, nous maudirons, vous maudirez, ils maudiront.
Passé composé : j'ai maudit, tu as maudit, il a maudit, nous avons maudit, vous avez maudit, ils ont maudit.
Conditionnel présent : je maudirais, tu maudirais, il maudirait, nous maudirions, vous maudiriez, ils maudiraient.
Subjonctif présent : que je maudisse, que tu maudisses, qu'il maudisse, que nous maudissions, que vous maudissiez, qu'ils maudissent.
Subjonctif passé : que j'aie maudit, que tu aies maudit, qu'il ait maudit, que nous ayons maudit, que vous ayez maudit, qu'ils aient maudit.
Subjonctif imparfait : que je maudisse, que tu maudisses, qu'il maudît, que nous maudissions, que vous maudissiez, qu'ils maudissent.
Impératif présent : maudis, maudissons, maudissez.
Participe présent : maudissant.
Participe passé : maudit.

47 Mentir 3e groupe

Présent : je mens, tu mens, il ment, nous mentons, vous mentez, ils mentent.
Imparfait : je mentais, tu mentais, il mentait, nous mentions, vous mentiez, ils mentaient.
Passé simple : je mentis, tu mentis, il mentit, nous mentîmes, vous mentîtes, ils mentirent.
Futur simple : je mentirai, tu mentiras, il mentira, nous mentirons, vous mentirez, ils mentiront.
Passé composé : j'ai menti, tu as menti, il a menti, nous avons menti, vous avez menti, ils ont menti.
Conditionnel présent : je mentirais, tu mentirais, il mentirait, nous mentirions, vous mentiriez, ils mentiraient.
Subjonctif présent : que je mente, que tu mentes, qu'il mente, que nous mentions, que vous mentiez, qu'ils mentent.
Subjonctif passé : que j'aie menti, que tu aies menti, qu'il ait menti, que nous ayons menti, que vous ayez menti, qu'ils aient menti.
Subjonctif imparfait : que je mentisse, que tu mentisses, qu'il mentît, que nous mentissions, que vous mentissiez, qu'ils mentissent.
Impératif présent : mens, mentons, mentez.
Participe présent : mentant.
Participe passé : menti.

48 Mettre 3e groupe

Présent : je mets, tu mets, il met, nous mettons, vous mettez, ils mettent.
Imparfait : je mettais, tu mettais, il mettait, nous mettions, vous mettiez, ils mettaient.
Passé simple : je mis, tu mis, il mit, nous mîmes, vous mîtes, ils mirent.
Futur simple : je mettrai, tu mettras, il mettra, nous mettrons, vous mettrez, ils mettront.
Passé composé : j'ai mis, tu as mis, il a mis, nous avons mis, vous avez mis, ils ont mis.
Conditionnel présent : je mettrais, tu mettrais, il mettrait, nous mettrions, vous mettriez, ils mettraient.
Subjonctif présent : que je mette, que tu mettes, qu'il mette, que nous mettions, que vous mettiez, qu'ils mettent.
Subjonctif passé : que j'aie mis, que tu aies mis, qu'il ait mis, que nous ayons mis, que vous ayez mis, qu'ils aient mis.
Subjonctif imparfait : que je misse, que tu misses, qu'il mît, que nous missions, que vous missiez, qu'ils missent.
Impératif présent : mets, mettons, mettez.
Participe présent : mettant.
Participe passé : mis.

49 Mordre 3e groupe

Présent : je mords, tu mords, il mord, nous mordons, vous mordez, ils mordent.
Imparfait : je mordais, tu mordais, il mordait, nous mordions, vous mordiez, ils mordaient.
Passé simple : je mordis, tu mordis, il mordit, nous mordîmes, vous mordîtes, ils mordirent.
Futur simple : je mordrai, tu mordras, il mordra, nous mordrons, vous mordrez, ils mordront.
Passé composé : j'ai mordu, tu as mordu, il a mordu, nous avons mordu, vous avez mordu, ils ont mordu.
Conditionnel présent : je mordrais, tu mordrais, il mordrait, nous mordrions, vous mordriez, ils mordraient.
Subjonctif présent : que je morde, que tu mordes, qu'il morde, que nous mordions, que vous mordiez, qu'ils mordent.
Subjonctif passé : que j'aie mordu, que tu aies mordu, qu'il ait mordu, que nous ayons mordu, que vous ayez mordu, qu'ils aient mordu.
Subjonctif imparfait : que je mordisse, que tu mordisses, qu'il mordît, que nous mordissions, que vous mordissiez, qu'ils mordissent.
Impératif présent : mords, mordons, mordez.
Participe présent : mordant.
Participe passé : mordu.

50 Moudre 3e groupe

Présent : je mouds, tu mouds, il moud, nous moulons, vous moulez, ils moulent.
Imparfait : je moulais, tu moulais, il moulait, nous moulions, vous mouliez, ils moulaient.
Passé simple : je moulus, tu moulus, il moulut, nous moulûmes, vous moulûtes, ils moulurent.
Futur simple : je moudrai, tu moudras, il moudra, nous moudrons, vous moudrez, ils moudront.
Passé composé : j'ai moulu, tu as moulu, il a moulu, nous avons moulu, vous avez moulu, ils ont moulu.
Conditionnel présent : je moudrais, tu moudrais, il moudrait, nous moudrions, vous moudriez, ils moudraient.
Subjonctif présent : que je moule, que tu moules, qu'il moule, que nous moulions, que vous mouliez, qu'ils moulent.
Subjonctif passé : que j'aie moulu, que tu aies moulu, qu'il ait moulu, que nous ayons moulu, que vous ayez moulu, qu'ils aient moulu.
Subjonctif imparfait : que je moulusse, que tu moulusses, qu'il moulût, que nous moulussions, que vous moulussiez, qu'ils moulussent.
Impératif présent : mouds, moulons, moulez.
Participe présent : moulant.
Participe passé : moulu.

51 Mourir 3e groupe

Présent : je meurs, tu meurs, il meurt, nous mourons, vous mourez, ils meurent.
Imparfait : je mourais, tu mourais, il mourait, nous mourions, vous mouriez, ils mouraient.
Passé simple : je mourus, tu mourus, il mourut, nous mourûmes, vous mourûtes, ils moururent.
Futur simple : je mourrai, tu mourras, il mourra, nous mourrons, vous mourrez, ils mourront.
Passé composé : je suis mort, tu es mort, il est mort, nous sommes morts, vous êtes morts, ils sont morts.
Conditionnel présent : je mourrais, tu mourrais, il mourrait, nous mourrions, vous mourriez, ils mourraient.
Subjonctif présent : que je meure, que tu meures, qu'il meure, que nous mourions, que vous mouriez, qu'ils meurent.
Subjonctif passé : que je sois mort, que tu sois mort, qu'il soit mort, que nous soyons morts, que vous soyez morts, qu'ils soient morts.
Subjonctif imparfait : que je mourusse, que tu mourusses, qu'il mourût, que nous mourussions, que vous mourussiez, qu'ils mourussent.
Impératif présent : meurs, mourons, mourez.
Participe présent : mourant.
Participe passé : mort.

52 Naître 3e groupe

Présent : je nais, tu nais, il naît, nous naissons, vous naissez, ils naissent.
Imparfait : je naissais, tu naissais, il naissait, nous naissions, vous naissiez, ils naissaient.
Passé simple : je naquis, tu naquis, il naquit, nous naquîmes, vous naquîtes, ils naquirent.
Futur simple : je naîtrai, tu naîtras, il naîtra, nous naîtrons, vous naîtrez, ils naîtront.
Passé composé : je suis né, tu es né, il est né, nous sommes nés, vous êtes nés, ils sont nés.
Conditionnel présent : je naîtrais, tu naîtrais, il naîtrait, nous naîtrions, vous naîtriez, ils naîtraient.
Subjonctif présent : que je naisse, que tu naisses, qu'il naisse, que nous naissions, que vous naissiez, qu'ils naissent.
Subjonctif passé : que je sois né, que tu sois né, qu'il soit né, que nous soyons nés, que vous soyez nés, qu'ils soient nés.
Subjonctif imparfait : que je naquisse, que tu naquisses, qu'il naquît, que nous naquissions, que vous naquissiez, qu'ils naquissent.
Impératif présent : nais, naissons, naissez.
Participe présent : naissant.
Participe passé : né.

53 Ouvrir 3e groupe

Présent : j'ouvre, tu ouvres, il ouvre, nous ouvrons, vous ouvrez, ils ouvrent.
Imparfait : j'ouvrais, tu ouvrais, il ouvrait, nous ouvrions, vous ouvriez, ils ouvraient.
Passé simple : j'ouvris, tu ouvris, il ouvrit, nous ouvrîmes, vous ouvrîtes, ils ouvrirent.
Futur simple : j'ouvrirai, tu ouvriras, il ouvrira, nous ouvrirons, vous ouvrirez, ils ouvriront.
Passé composé : j'ai ouvert, tu as ouvert, il a ouvert, nous avons ouvert, vous avez ouvert, ils ont ouvert.
Conditionnel présent : j'ouvrirais, tu ouvrirais, il ouvrirait, nous ouvririons, vous ouvririez, ils ouvriraient.
Subjonctif présent : que j'ouvre, que tu ouvres, qu'il ouvre, que nous ouvrions, que vous ouvriez, qu'ils ouvrent.
Subjonctif passé : que j'aie ouvert, que tu aies ouvert, qu'il ait ouvert, que nous ayons ouvert, que vous ayez ouvert, qu'ils aient ouvert.
Subjonctif imparfait : que j'ouvrisse, que tu ouvrisses, qu'il ouvrît, que nous ouvrissions, que vous ouvrissiez, qu'ils ouvrissent.
Impératif présent : ouvre, ouvrons, ouvrez.
Participe présent : ouvrant.
Participe passé : ouvert.

54 Partir 3e groupe

Présent : je pars, tu pars, il part, nous partons, vous partez, ils partent.
Imparfait : je partais, tu partais, il partait, nous partions, vous partiez, ils partaient.
Passé simple : je partis, tu partis, il partit, nous partîmes, vous partîtes, ils partirent.
Futur simple : je partirai, tu partiras, il partira, nous partirons, vous partirez, ils partiront.
Passé composé : je suis parti, tu es parti, il est parti, nous sommes partis, vous êtes partis, ils sont partis.
Conditionnel présent : je partirais, tu partirais, il partirait, nous partirions, vous partiriez, ils partiraient.
Subjonctif présent : que je parte, que tu partes, qu'il parte, que nous partions, que vous partiez, qu'ils partent.
Subjonctif passé : que je sois parti, que tu sois parti, qu'il soit parti, que nous soyons partis, que vous soyez partis, qu'ils soient partis.
Subjonctif imparfait : que je partisse, que tu partisses, qu'il partît, que nous partissions, que vous partissiez, qu'ils partissent.
Impératif présent : pars, partons, partez.
Participe présent : partant.
Participe passé : parti.

55 Payer (1) 1er groupe

Présent : je paie, tu paies, il paie, nous payons, vous payez, il paient.
Imparfait : je payais, tu payais, il payait, nous payions, vous payiez, ils payaient.
Passé simple : je payai, tu payas, il paya, nous payâmes, vous payâtes, ils payèrent.
Futur simple : je paierai, tu paieras, il paiera, nous paierons, vous paierez, ils paieront.
Passé composé : j'ai payé, tu as payé, il a payé, nous avons payé, vous avez payé, ils ont payé.
Conditionnel présent : je paierais, tu paierais, il paierait, nous paierions, vous paieriez, ils paieraient.
Subjonctif présent : que je paie, que tu paies, qu'il paie, que nous payions, que vous payiez, qu'ils paient.
Subjonctif passé : que j'aie payé, que tu aies payé, qu'il ait payé, que nous ayons payé, que vous ayez payé, qu'ils aient payé.
Subjonctif imparfait : que je payasse, que tu payasses, qu'il payât, que nous payassions, que vous payassiez, qu'ils payassent.
Impératif présent : paie, payons, payez.
Participe présent : payant.
Participe passé : payé.

55 Payer (2) 1er groupe

Présent : je paye, tu payes, il paye.
Futur simple : je payerai, tu payeras, il payera, nous payerons, vous payerez, ils payeront.
Conditionnel présent : je payerais, tu payerais, il payerait, nous payerions, vous payeriez, ils payeraient.
Subjonctif présent : que je paye, que tu payes, qu'il paye.
Impératif présent : paye.

Les verbes terminés par « ayer »

De même que le verbe « payer », plusieurs verbes possèdent une double conjugaison, ce sont : *balayer* (*je balaie* ou *je balaye, tu balaies* ou *tu balayes*, etc.), *bégayer, déblayer, débrayer, défrayer, délayer, effrayer, embrayer, enrayer, essayer, monnayer, pagayer, rayer, relayer, zézayer.* En revanche, les verbes *capeyer, faseyer, grasseyer, volleyer*, ne possèdent que la conjugaison avec le « y ».

56 Peindre 3e groupe

Présent : je peins, tu peins, il peint, nous peignons, vous peignez, ils peignent.
Imparfait : je peignais, tu peignais, il peignait, nous peignions, vous peigniez, ils peignaient.

Passé simple : je peignis, tu peignis, il peignit, nous peignîmes, vous peignîtes, ils peignirent.
Futur simple : je peindrai, tu peindras, il peindra, nous peindrons, vous peindrez, ils peindront.
Passé composé : j'ai peint, tu as peint, il a peint, nous avons peint, vous avez peint, ils ont peint.
Conditionnel présent : je peindrais, tu peindrais, il peindrait, nous peindrions, vous peindriez, ils peindraient.
Subjonctif présent : que je peigne, que tu peignes, qu'il peigne, que nous peignions, que vous peigniez, qu'ils peignent.
Subjonctif passé : que j'aie peint, que tu aies peint, qu'il ait peint, que nous ayons peint, que vous ayez peint, qu'ils aient peint.
Subjonctif imparfait : que je peignisse, que tu peignisses, qu'il peignît, que nous peignissions, que vous peignissiez, qu'ils peignissent.
Impératif présent : peins, peignons, peignez.
Participe présent : peignant. **Participe passé :** peint.

57 Perdre 3e groupe

Présent : je perds, tu perds, il perd, nous perdons, vous perdez, ils perdent.
Imparfait : je perdais, tu perdais, il perdait,

nous perdions, vous perdiez, ils perdaient.
Passé simple : je perdis, tu perdis, il perdit,
nous perdîmes, vous perdîtes, ils perdirent.
Futur simple : je perdrai, tu perdras, il perdra,
nous perdrons, vous perdrez, ils perdront.
Passé composé : j'ai perdu, tu as perdu, il a perdu,
nous avons perdu, vous avez perdu, ils ont perdu.
Conditionnel présent : je perdrais, tu perdrais, il perdrait,
nous perdrions, vous perdriez, ils perdraient.
Subjonctif présent : que je perde, que tu perdes,
qu'il perde, que nous perdions, que vous perdiez,
qu'ils perdent.
Subjonctif passé : que j'aie perdu, que tu aies perdu,
qu'il ait perdu, que nous ayons perdu,
que vous ayez perdu, qu'ils aient perdu.
Subjonctif imparfait : que je perdisse, que tu perdisses,
qu'il perdît, que nous perdissions,
que vous perdissiez, qu'ils perdissent.
Impératif présent : perds, perdons, perdez.
Participe présent : perdant. **Participe passé :** perdu.

58 Plaire 3e groupe

Présent : je plais, tu plais, il plaît, nous plaisons,
vous plaisez, ils plaisent.
Imparfait : je plaisais, tu plaisais, il plaisait,

nous plaisions, vous plaisiez, ils plaisaient.
Passé simple : je plus, tu plus, il plut, nous plûmes, vous plûtes, ils plurent.
Futur simple : je plairai, tu plairas, il plaira, nous plairons, vous plairez, ils plairont.
Passé composé : j'ai plu, tu as plu, il a plu, nous avons plu, vous avez plu, ils ont plu.
Conditionnel présent : je plairais, tu plairais, il plairait, nous plairions, vous plairiez, ils plairaient.
Subjonctif présent : que je plaise, que tu plaises, qu'il plaise, que nous plaisions, que vous plaisiez, qu'ils plaisent.
Subjonctif passé : que j'aie plu, que tu aies plu, qu'il ait plu, que nous ayons plu, que vous ayez plu, qu'ils aient plu.
Subjonctif imparfait : que je plusse, que tu plusses, qu'il plût, que nous plussions, que vous plussiez, qu'ils plussent.
Impératif présent : plais, plaisons, plaisez.
Participe présent : plaisant. **Participe passé :** plu.

59 Pourvoir 3e groupe

Présent : je pourvois, tu pourvois, il pourvoit, nous pourvoyons, vous pourvoyez, ils pourvoient.
Imparfait : je pourvoyais, tu pourvoyais, il pourvoyait, nous pourvoyions, vous pourvoyiez, ils pourvoyaient.

Passé simple : je pourvus, tu pourvus, il pourvut, nous pourvûmes, vous pourvûtes, ils pourvurent.
Futur simple : je pourvoirai, tu pourvoiras, il pourvoira, nous pourvoirons, vous pourvoirez, ils pourvoiront.
Passé composé : j'ai pourvu, tu as pourvu, il a pourvu, nous avons pourvu, vous avez pourvu, ils ont pourvu.
Conditionnel présent : je pourvoirais, tu pourvoirais, il pourvoirait, nous pourvoirions, vous pourvoiriez, ils pourvoiraient.
Subjonctif présent : que je pourvoie, que tu pourvoies, qu'il pourvoie, que nous pourvoyions, que vous pourvoyiez, qu'ils pourvoient.
Subjonctif passé : que j'aie pourvu, que tu aies pourvu, qu'il ait pourvu, que nous ayons pourvu, que vous ayez pourvu, qu'ils aient pourvu.
Subjonctif imparfait : que je pourvusse, que tu pourvusses, qu'il pourvût, que nous pourvussions, que vous pourvussiez, qu'ils pourvussent.
Impératif présent : pourvois, pourvoyons, pourvoyez.
Participe présent : pourvoyant. **Participe passé :** pourvu.

60 Pouvoir 3e groupe

Présent : je peux (ou je puis), tu peux, il peut, nous pouvons, vous pouvez, ils peuvent.
Imparfait : je pouvais, tu pouvais, il pouvait,

nous pouvions, vous pouviez, ils pouvaient.
Passé simple : je pus, tu pus, il put, nous pûmes, vous pûtes, ils purent.
Futur simple : je pourrai, tu pourras, il pourra, nous pourrons, vous pourrez, ils pourront.
Passé composé : j'ai pu, tu as pu, il a pu, nous avons pu, vous avez pu, ils ont pu.
Conditionnel présent : je pourrais, tu pourrais, il pourrait, nous pourrions, vous pourriez, ils pourraient.
Subjonctif présent : que je puisse, que tu puisses, qu'il puisse, que nous puissions, que vous puissiez, qu'ils puissent.
Subjonctif passé : que j'aie pu, que tu aies pu, qu'il ait pu, que nous ayons pu, que vous ayez pu, qu'ils aient pu.
Subjonctif imparfait : que je pusse, que tu pusses, qu'il pût, que nous pussions, que vous pussiez, qu'ils pussent.
Impératif présent, impératif passé : inusités.
Participe présent : pouvant. **Participe passé :** pu.

61 Prévoir 3e groupe

Présent : je prévois, tu prévois, il prévoit, nous prévoyons, vous prévoyez, ils prévoient.
Imparfait : je prévoyais, tu prévoyais, il prévoyait, nous prévoyions, vous prévoyiez, ils prévoyaient.

Passé simple : je prévis, tu prévis, il prévit, nous prévîmes, vous prévîtes, ils prévirent.
Futur simple : je prévoirai, tu prévoiras, il prévoira, nous prévoirons, vous prévoirez, ils prévoiront.
Passé composé : j'ai prévu, tu as prévu, il a prévu, nous avons prévu, vous avez prévu, ils ont prévu.
Conditionnel présent : je prévoirais, tu prévoirais, il prévoirait, nous prévoirions, vous prévoiriez, ils prévoiraient.
Subjonctif présent : que je prévoie, que tu prévoies, qu'il prévoie, que nous prévoyions, que vous prévoyiez, qu'ils prévoient.
Subjonctif passé : que j'aie prévu, que tu aies prévu, qu'il ait prévu, que nous ayons prévu, que vous ayez prévu, qu'ils aient prévu.
Subjonctif imparfait : que je prévisse, que tu prévisses, qu'il prévît, que nous prévissions, que vous prévissiez, qu'ils prévissent.
Impératif présent : prévois, prévoyons, prévoyez.
Participe présent : prévoyant. **Participe passé :** prévu.

62 Promouvoir 3e groupe

Présent : je promeus, tu promeus, il promeut, nous promouvons, vous promouvez, ils promeuvent.
Imparfait : je promouvais, tu promouvais, il promouvait,

nous promouvions, vous promouviez,
ils promouvaient.
Passé simple : je promus, tu promus, il promut,
nous promûmes, vous promûtes, ils promurent.
Futur simple : je promouvrai, tu promouvras,
il promouvra, nous promouvrons, vous promouvrez,
ils promouvront.
Passé composé : j'ai promu, tu as promu, il a promu,
nous avons promu, vous avez promu, ils ont promu.
Conditionnel présent : je promouvrais, tu promouvrais,
il promouvrait, nous promouvrions, vous promouvriez,
ils promouvraient.
Subjonctif présent : que je promeuve, que tu promeuves,
qu'il promeuve, que nous promouvions,
que vous promouviez, qu'ils promeuvent.
Subjonctif passé : que j'aie promu, que tu aies promu,
qu'il ait promu, que nous ayons promu,
que vous ayez promu, qu'ils aient promu.
Subjonctif imparfait : que je promusse, que tu promusses,
qu'il promût, que nous promussions,
que vous promussiez, qu'ils promussent.
Impératif présent : promeus, promouvons, promouvez.
Participe présent : promouvant.
Participe passé : promu (mû, mue pour le verbe
« mouvoir »).

63 Ranger 1er groupe

Présent : je range, tu ranges, il range, nous rangeons, vous rangez, ils rangent.
Imparfait : je rangeais, tu rangeais, il rangeait, nous rangions, vous rangiez, ils rangeaient.
Passé simple : je rangeai, tu rangeas, il rangea, nous rangeâmes, vous rangeâtes, ils rangèrent.
Futur simple : je rangerai, tu rangeras, il rangera, nous rangerons, vous rangerez, ils rangeront.
Passé composé : j'ai rangé, tu as rangé, il a rangé, nous avons rangé, vous avez rangé, ils ont rangé.
Conditionnel présent : je rangerais, tu rangerais, il rangerait, nous rangerions, vous rangeriez, ils rangeraient.
Subjonctif présent : que je range, que tu ranges, qu'il range, que nous rangions, que vous rangiez, qu'ils rangent.
Subjonctif passé : que j'aie rangé, que tu aies rangé, qu'il ait rangé, que nous ayons rangé, que vous ayez rangé, qu'ils aient rangé.
Subjonctif imparfait : que je rangeasse, que tu rangeasses, qu'il rangeât, que nous rangeassions, que vous rangeassiez, qu'ils rangeassent.
Impératif présent : range, rangeons, rangez.
Participe présent : rangeant. **Participe passé :** rangé.

64 Recevoir 3e groupe

Présent : je reçois, tu reçois, il reçoit, nous recevons, vous recevez, ils reçoivent.
Imparfait : je recevais, tu recevais, il recevait, nous recevions, vous receviez, ils recevaient.
Passé simple : je reçus, tu reçus, il reçut, nous reçûmes, vous reçûtes, ils reçurent.
Futur simple : je recevrai, tu recevras, il recevra, nous recevrons, vous recevrez, ils recevront.
Passé composé : j'ai reçu, tu as reçu, il a reçu, nous avons reçu, vous avez reçu, ils ont reçu.
Conditionnel présent : je recevrais, tu recevrais, il recevrait, nous recevrions, vous recevriez, ils recevraient.
Subjonctif présent : que je reçoive, que tu reçoives, qu'il reçoive, que nous recevions, que vous receviez, qu'ils reçoivent.
Subjonctif passé : que j'aie reçu, que tu aies reçu, qu'il ait reçu, que nous ayons reçu, que vous ayez reçu, qu'ils aient reçu.
Subjonctif imparfait : que je reçusse, que tu reçusses, qu'il reçût, que nous reçussions, que vous reçussiez, qu'ils reçussent.
Impératif présent : reçois, recevons, recevez.
Participe présent : recevant. **Participe passé :** reçu.

65 Répandre 3e groupe

Présent : je répands, tu répands, il répand, nous répandons, vous répandez, ils répandent.
Imparfait : je répandais, tu répandais, il répandait, nous répandions, vous répandiez, ils répandaient.
Passé simple : je répandis, tu répandis, ils répandit, nous répandîmes, vous répandîtes, ils répandirent.
Futur simple : je répandrai, tu répandras, il répandra, nous répandrons, vous répandrez, ils répandront.
Passé composé : j'ai répandu, tu as répandu, il a répandu, nous avons répandu, vous avez répandu, ils ont répandu.
Conditionnel présent : je répandrais, tu répandrais, il répandrait, nous répandrions, vous répandriez, ils répandraient.
Subjonctif présent : que je répande, que tu répandes, qu'il répande, que nous répandions, que vous répandiez, qu'ils répandent.
Subjonctif passé : que j'aie répandu, que tu aies répandu, qu'il ait répandu, que nous ayons répandu, que vous ayez répandu, qu'ils aient répandu.
Subjonctif imparfait : que je répandisse, que tu répandisses, qu'il répandît, que nous répandissions, que vous répandissiez, qu'ils répandissent.
Impératif présent : répands, répandons, répandez.
Participe présent : répandant. **Participe passé :** répandu.

66 Répondre 3e groupe

Présent : je réponds, tu réponds, il répond, nous répondons, vous répondez, ils répondent.
Imparfait : je répondais, tu répondais, il répondait, nous répondions, vous répondiez, ils répondaient.
Passé simple : je répondis, tu répondis, il répondit, nous répondîmes, vous répondîtes, ils répondirent.
Futur simple : je répondrai, tu répondras, il répondra, nous répondrons, vous répondrez, ils répondront.
Passé composé : j'ai répondu, tu as répondu, il a répondu, nous avons répondu, vous avez répondu, ils ont répondu.
Conditionnel présent : je répondrais, tu répondrais, il répondrait, nous répondrions, vous répondriez, ils répondraient.
Subjonctif présent : que je réponde, que tu répondes, qu'il réponde, que nous répondions, que vous répondiez, qu'ils répondent.
Subjonctif passé : que j'aie répondu, que tu aies répondu, qu'il ait répondu, que nous ayons répondu, que vous ayez répondu, qu'ils aient répondu.
Subjonctif imparfait : que je répondisse, que tu répondisses, qu'il répondît, que nous répondissions, que vous répondissiez, qu'ils répondissent.
Impératif présent : réponds, répondons, répondez.
Participe présent : répondant. **Participe passé :** répondu.

67 Résoudre 3e groupe

Présent : je résous, tu résous, il résout, nous résolvons, vous résolvez, ils résolvent.
Imparfait : je résolvais, tu résolvais, il résolvait, nous résolvions, vous résolviez, ils résolvaient.
Passé simple : je résolus, tu résolus, il résolut, nous résolûmes, vous résolûtes, ils résolurent.
Futur simple : je résoudrai, tu résoudras, il résoudra, nous résoudrons, vous résoudrez, ils résoudront.
Passé composé : j'ai résolu, tu as résolu, il a résolu, nous avons résolu, vous avez résolu, ils ont résolu.
Conditionnel présent : je résoudrais, tu résoudrais, il résoudrait, nous résoudrions, vous résoudriez, ils résoudraient.
Subjonctif présent : que je résolve, que tu résolves, qu'il résolve, que nous résolvions, que vous résolviez, qu'ils résolvent.
Subjonctif passé : que j'aie résolu, que tu aies résolu, qu'il ait résolu, que nous ayons résolu, que vous ayez résolu, qu'ils aient résolu.
Subjonctif imparfait : que je résolusse, que tu résolusses, qu'il résolût, que nous résolussions, que vous résolussiez, qu'ils résolussent.
Impératif présent : résous, résolvons, résolvez.
Participe présent : résolvant.
Participe passé : résolu (pour le verbe absoudre,

le participe passé est absous, absoute).

Les verbes terminés par « dre »
Les verbes terminés par « dre » (*vendre, tendre, rendre...*) conservent le « d » de leur radical dans leur conjugaison : *je vends, tu tends, il rend.* Attention : les verbes en « indre » et « soudre » constituent des exceptions à cette règle.

Les verbes terminés par « indre » et « soudre »
Aux deux premières personnes du singulier du présent de l'indicatif, les verbes terminés par « indre » et « soudre » perdent le « d ». De plus, à la 3e personne du singulier du présent de l'indicatif, ils changent le « d » en « t ». Ils ne conservent le « d » qu'au futur simple et au conditionnel présent : *Je peins, tu te plains, elle résout, il nous joindra, nous feindrons, etc.*

68 Rire 3e groupe

Présent : je ris, tu ris, il rit, nous rions, vous riez, ils rient.
Imparfait : je riais, tu riais, il riait, nous riions, vous riiez, ils riaient.
Passé simple : je ris, tu ris, il rit, nous rîmes, vous rîtes, ils rirent.
Futur simple : je rirai, tu riras, il rira, nous rirons, vous rirez, ils riront.

Passé composé : j'ai ri, tu as ri, il a ri, nous avons ri, vous avez ri, ils ont ri.
Conditionnel présent : je rirais, tu rirais, il rirait, nous ririons, vous ririez, ils riraient.
Subjonctif présent : que je rie, que tu ries, qu'il rie, que nous riions, que vous riiez, qu'ils rient.
Subjonctif passé : que j'aie ri, que tu aies ri, qu'il ait ri, que nous ayons ri, que vous ayez ri, qu'ils aient ri.
Subjonctif imparfait : que je risse, que tu risses, qu'il rît, que nous rissions, que vous rissiez, qu'ils rissent.
Impératif présent : ris, rions, riez.
Participe présent : riant. **Participe passé :** ri.

69 Rompre 3e groupe

Présent : je romps, tu romps, il rompt, nous rompons, vous rompez, ils rompent.
Imparfait : je rompais, tu rompais, il rompait, nous rompions, vous rompiez, ils rompaient.
Passé simple : je rompis, tu rompis, il rompit, nous rompîmes, vous rompîtes, ils rompirent.
Futur simple : je romprai, tu rompras, il rompra, nous romprons, vous romprez, ils rompront.
Passé composé : j'ai rompu, tu as rompu, il a rompu, nous avons rompu, vous avez rompu, ils ont rompu.

Conditionnel présent : je romprais, tu romprais, il romprait, nous romprions, vous rompriez, ils rompraient.
Subjonctif présent : que je rompe, que tu rompes, qu'il rompe, que nous rompions, que vous rompiez, qu'ils rompent.
Subjonctif passé : que j'aie rompu, que tu aies rompu, qu'il ait rompu, que nous ayons rompu, que vous ayez rompu, qu'ils aient rompu.
Subjonctif imparfait : que je rompisse, que tu rompisses, qu'il rompît, que nous rompissions, que vous rompissiez, qu'ils rompissent.
Impératif présent : romps, rompons, rompez.
Participe présent : rompant. **Participe passé :** rompu.

70 Savoir 3e groupe

Présent : je sais, tu sais, il sait, nous savons, vous savez, ils savent.
Imparfait : je savais, tu savais, il savait, nous savions, vous saviez, ils savaient.
Passé simple : je sus, tu sus, il sut, nous sûmes, vous sûtes, ils surent.
Futur simple : je saurai, tu sauras, il saura, nous saurons, vous saurez, ils sauront.
Passé composé : j'ai su, tu as su, il a su, nous avons su, vous avez su, ils ont su.

Conditionnel présent : je saurais, tu saurais, il saurait, nous saurions, vous sauriez, ils sauraient.
Subjonctif présent : que je sache, que tu saches, qu'il sache, que nous sachions, que vous sachiez, qu'ils sachent.
Subjonctif passé : que j'aie su, que tu aies su, qu'il ait su, que nous ayons su, que vous ayez su, qu'ils aient su.
Subjonctif imparfait : que je susse, que tu susses, qu'il sût, que nous sussions, que vous sussiez, qu'ils sussent.
Impératif présent : sache, sachons, sachez.
Participe présent : sachant. **Participe passé :** su.

71 Servir 3e groupe

Présent : je sers, tu sers, il sert, nous servons, vous servez, ils servent.
Imparfait : je servais, tu servais, il servait, nous servions, vous serviez, ils servaient.
Passé simple : je servis, tu servis, il servit, nous servîmes, vous servîtes, ils servirent.
Futur simple : je servirai, tu serviras, il servira, nous servirons, vous servirez, ils serviront.
Passé composé : j'ai servi, tu as servi, il a servi, nous avons servi, vous avez servi, ils ont servi.
Conditionnel présent : je servirais, tu servirais, il servirait,

nous servirions, vous serviriez, ils serviraient.
Subjonctif présent : que je serve, que tu serves, qu'il serve, que nous servions, que vous serviez, qu'ils servent.
Subjonctif passé : que j'aie servi, que tu aies servi, qu'il ait servi, que nous ayons servi, que vous ayez servi, qu'ils aient servi.
Subjonctif imparfait : que je servisse, que tu servisses, qu'il servît, que nous servissions, que vous servissiez, qu'ils servissent.
Impératif présent : sers, servons, servez.
Participe présent : servant. **Participe passé :** servi.

72 Siéger 1er groupe

Présent : je siège, tu sièges, il siège, nous siégeons, vous siégez, ils siègent.
Imparfait : je siégeais, tu siégeais, il siégeait, nous siégions, vous siégiez, ils siégeaient.
Passé simple : je siégeai, tu siégeas, il siégea, nous siégeâmes, vous siégeâtes, ils siégèrent.
Futur simple : je siégerai, tu siégeras, il siégera, nous siégerons, vous siégerez, ils siégeront.
Passé composé : j'ai siégé, tu as siégé, il a siégé, nous avons siégé, vous avez siégé, ils ont siégé.
Conditionnel présent : je siégerais, tu siégerais,

il siégerait, nous siégerions, vous siégeriez, ils siégeraient.
Subjonctif présent : que je siège, que tu sièges, qu'il siège, que nous siégions, que vous siégiez, qu'ils siègent.
Subjonctif passé : que j'aie siégé, que tu aies siégé, qu'il ait siégé, que nous ayons siégé, que vous ayez siégé, qu'ils aient siégé.
Subjonctif imparfait : que je siégeasse, que tu siégeasses, qu'il siégeât, que nous siégeassions, que vous siégeassiez, qu'ils siégeassent.
Impératif présent : siège, siégeons, siégez.
Participe présent : siégeant. **Participe passé :** siégé.

73 Sortir 3e groupe

Présent : je sors, tu sors, il sort, nous sortons, vous sortez, ils sortent.
Imparfait : je sortais, tu sortais, il sortait, nous sortions, vous sortiez, ils sortaient.
Passé simple : je sortis, tu sortis, il sortit, nous sortîmes, vous sortîtes, ils sortirent.
Futur simple : je sortirai, tu sortiras, il sortira, nous sortirons, vous sortirez, ils sortiront.
Passé composé : (transitif direct : J'ai sorti la voiture) : j'ai sorti, tu as sorti, il a sorti, nous avons sorti,

vous avez sorti, ils ont sorti ; (intransitif : Je suis sorti dans la cour) : je suis sorti, tu es sorti, il est sorti, nous sommes sortis, vous êtes sortis, ils sont sortis.
Conditionnel présent : je sortirais, tu sortirais, il sortirait, nous sortirions, vous sortiriez, ils sortiraient.
Subjonctif présent : que je sorte, que tu sortes, qu'il sorte, que nous sortions, que vous sortiez, qu'ils sortent.
Subjonctif passé : que je sois sorti, que tu sois sorti, qu'il soit sorti, que nous soyons sortis, que vous soyez sortis, qu'ils soient sortis.
Subjonctif imparfait : que je sortisse, que tu sortisses, qu'il sortît, que nous sortissions, que vous sortissiez, qu'ils sortissent.
Impératif présent : sors, sortons, sortez.
Participe présent : sortant. **Participe passé :** sorti.

74 Soulever 1er groupe

Présent : je soulève, tu soulèves, il soulève, nous soulevons, vous soulevez, ils soulèvent.
Imparfait : je soulevais, tu soulevais, il soulevait, nous soulevions, vous souleviez, ils soulevaient.
Passé simple : je soulevai, tu soulevas, il souleva, nous soulevâmes, vous soulevâtes, ils soulevèrent.
Futur simple : je soulèverai, tu soulèveras, il soulèvera,

nous soulèverons, vous soulèverez, ils soulèveront.
Passé composé : j'ai soulevé, tu as soulevé, il a soulevé, nous avons soulevé, vous avez soulevé, ils ont soulevé.
Conditionnel présent : je soulèverais, tu soulèverais, il soulèverait, nous soulèverions, vous soulèveriez, ils soulèveraient.
Subjonctif présent : que je soulève, que tu soulèves, qu'il soulève, que nous soulevions, que vous souleviez, qu'ils soulèvent.
Subjonctif passé : que j'aie soulevé, que tu aies soulevé, qu'il ait soulevé, que nous ayons soulevé, que vous ayez soulevé, qu'ils aient soulevé.
Subjonctif imparfait : que je soulevasse, que tu soulevasses, qu'il soulevât, que nous soulevassions, que vous soulevassiez, qu'ils soulevassent.
Impératif présent : soulève, soulevons, soulevez.
Participe présent : soulevant. **Participe passé :** soulevé.

75 Suffire 3e groupe

Présent : je suffis, tu suffis, il suffit, nous suffisons, vous suffisez, ils suffisent.
Imparfait : je suffisais, tu suffisais, il suffisait, nous suffisions, vous suffisiez, ils suffisaient.
Passé simple : je suffis, tu suffis, il suffit, nous suffîmes,

vous suffîtes, ils suffirent.
Futur simple : je suffirai, tu suffiras, il suffira, nous suffirons, vous suffirez, ils suffiront.
Passé composé : j'ai suffi, tu as suffi, il a suffi, nous avons suffi, vous avez suffi, ils ont suffi.
Conditionnel présent : je suffirais, tu suffirais, il suffirait, nous suffirions, vous suffiriez, ils suffiraient.
Subjonctif présent : que je suffise, que tu suffises, qu'il suffise, que nous suffisions, que vous suffisiez, qu'ils suffisent.
Subjonctif passé : que j'aie suffi, que tu aies suffi, qu'il ait suffi, que nous ayons suffi, que vous ayez suffi, qu'ils aient suffi.
Subjonctif imparfait : que je suffisse, que tu suffisses, qu'il suffît, que nous suffissions, que vous suffissiez, qu'ils suffissent.
Impératif présent : suffis, suffisons, suffisez.
Participe présent : suffisant.
Participe passé : suffi (invariable).
La conjugaison est identique pour « circoncire » (part. passé : circoncis), « confire » (confit).

76 Suivre 3e groupe

Présent : je suis, tu suis, il suit, nous suivons, vous suivez, ils suivent.

Imparfait : je suivais, tu suivais, il suivait, nous suivions, vous suiviez, ils suivaient.
Passé simple : je suivis, tu suivis, il suivit, nous suivîmes, vous suivîtes, ils suivirent.
Futur simple : je suivrai, tu suivras, il suivra, nous suivrons, vous suivrez, ils suivront.
Passé composé : j'ai suivi, tu as suivi, il a suivi, nous avons suivi, vous avez suivi, ils ont suivi.
Conditionnel présent : je suivrais, tu suivrais, il suivrait, nous suivrions, vous suivriez, ils suivraient.
Subjonctif présent : que je suive, que tu suives, qu'il suive, que nous suivions, que vous suiviez, qu'ils suivent.
Subjonctif passé : que j'aie suivi, que tu aies suivi, qu'il ait suivi, que nous ayons suivi, que vous ayez suivi, qu'ils aient suivi.
Subjonctif imparfait : que je suivisse, que tu suivisses, qu'il suivît, que nous suivissions, que vous suivissiez, qu'ils suivissent.
Impératif présent : suis, suivons, suivez.
Participe présent : suivant. **Participe passé :** suivi.

77 Surprendre 3e groupe

Présent : je surprends, tu surprends, il surprend, nous surprenons, vous surprenez, ils surprennent.
Imparfait : je surprenais, tu surprenais, il surprenait, nous surprenions, vous surpreniez, ils surprenaient.

Passé simple : je surpris, tu surpris, il surprit,
nous surprîmes, vous surprîtes, ils surprirent.
Futur simple : je surprendrai, tu surprendras,
il surprendra, nous surprendrons, vous surprendrez,
ils surprendront.
Passé composé : j'ai surpris, tu as surpris, il a surpris,
nous avons surpris, vous avez surpris, ils ont surpris.
Conditionnel présent : je surprendrais, tu surprendrais,
il surprendrait, nous surprendrions, vous surprendriez,
ils surprendraient.
Subjonctif présent : que je surprenne, que tu surprennes,
qu'il surprenne, que nous surprenions,
que vous surpreniez, qu'ils surprennent.
Subjonctif passé : que j'aie surpris, que tu aies surpris,
qu'il ait surpris, que nous ayons surpris,
que vous ayez surpris, qu'ils aient surpris.
Subjonctif imparfait : que je surprisse, que tu surprisses,
qu'il surprît, que nous surprissions,
que vous surprissiez, qu'ils surprissent.
Impératif présent : surprends, surprenons, surprenez.
Participe présent : surprenant. **Participe passé :** surpris.

78 Surseoir 3e groupe

Présent : je sursois, tu sursois, il sursoit,
nous sursoyons, vous sursoyez, ils sursoient.

Imparfait : je sursoyais, tu sursoyais, il sursoyait, nous sursoyions, vous sursoyiez, ils sursoyaient.
Passé simple : je sursis, tu sursis, il sursit, nous sursîmes, vous sursîtes, ils sursirent.
Futur simple : je surseoirai, tu surseoiras, il surseoira, nous surseoirons, vous surseoirez, ils surseoiront.
Passé composé : j'ai sursis, tu as sursis, il a sursis, nous avons sursis, vous avez sursis, ils ont sursis.
Conditionnel présent : je surseoirais, tu surseoirais, il surseoirait, nous surseoirions, vous surseoiriez, ils surseoiraient.
Subjonctif présent : que je sursoie, que tu sursoies, qu'il sursoie, que nous sursoyions, que vous sursoyiez, qu'ils sursoient.
Subjonctif passé : que j'aie sursis, que tu aies sursis, qu'il ait sursis, que nous ayons sursis, que vous ayez sursis, qu'ils aient sursis.
Subjonctif imparfait : que je sursisse, que tu sursisses, qu'il sursît, que nous sursissions, que vous sursissiez, qu'ils sursissent.
Impératif présent : sursois, sursoyons, sursoyez.
Participe présent : sursoyant. **Participe passé :** sursis.

79 Taire 3e groupe

Présent : je tais, tu tais, il tait, nous taisons, vous taisez,

ils taisent.
Imparfait : je taisais, tu taisais, il taisait, nous taisions, vous taisiez, ils taisaient.
Passé simple : je tus, tu tus, il tut, nous tûmes, vous tûtes, ils turent.
Futur simple : je tairai, tu tairas, il taira, nous tairons, vous tairez, ils tairont.
Passé composé : j'ai tu, tu as tu, il a tu, nous avons tu, vous avez tu, ils ont tu.
Conditionnel présent : je tairais, tu tairais, il tairait, nous tairions, vous tairiez, ils tairaient.
Subjonctif présent : que je taise, que tu taises, qu'il taise, que nous taisions, que vous taisiez, qu'ils taisent.
Subjonctif passé : que j'aie tu, que tu aies tu, qu'il ait tu, que nous ayons tu, que vous ayez tu, qu'ils aient tu.
Subjonctif imparfait : que je tusse, que tu tusses, qu'il tût, que nous tussions, que vous tussiez, qu'ils tussent.
Impératif présent : tais, taisons, taisez.
Participe présent : taisant. **Participe passé :** tu.

80 Trépigner 1er groupe

Présent : je trépigne, tu trépignes, il trépigne, nous trépignons, vous trépignez, ils trépignent.
Imparfait : je trépignais, tu trépignais, il trépignait, nous trépignions, vous trépigniez, ils trépignaient.

Passé simple : je trépignai, tu trépignas, il trépigna, nous trépignâmes, vous trépignâtes, ils trépignèrent.
Futur simple : je trépignerai, tu trépigneras, il trépignera, nous trépignerons, vous trépignerez, ils trépigneront.
Passé composé : j'ai trépigné, tu as trépigné, il a trépigné, nous avons trépigné, vous avez trépigné, ils ont trépigné.
Conditionnel présent : je trépignerais, tu trépignerais, il trépignerait, nous trépignerions, vous trépigneriez, ils trépigneraient.
Subjonctif présent : que je trépigne, que tu trépignes, qu'il trépigne, que nous trépignions, que vous trépigniez, qu'ils trépignent.
Subjonctif passé : que j'aie trépigné, que tu aies trépigné, qu'il ait trépigné, que nous ayons trépigné, que vous ayez trépigné, qu'ils aient trépigné.
Subjonctif imparfait : que je trépignasse, que tu trépignasses, qu'il trépignât, que nous trépignassions, que vous trépignassiez, qu'ils trépignassent.
Impératif présent : trépigne, trépignons, trépignez.
Participe présent : trépignant. **Participe passé :** trépigné.

81 Vaincre 3e groupe

Présent : je vaincs, tu vaincs, il vainc, nous vainquons, vous vainquez, ils vainquent.

Imparfait : je vainquais, tu vainquais, il vainquait, nous vainquions, vous vainquiez, ils vainquaient.
Passé simple : je vainquis, tu vainquis, il vainquit, nous vainquîmes, vous vainquîtes, ils vainquirent.
Futur simple : je vaincrai, tu vaincras, il vaincra, nous vaincrons, vous vaincrez, ils vaincront.
Passé composé : j'ai vaincu, tu as vaincu, il a vaincu, nous avons vaincu, vous avez vaincu, ils ont vaincu.
Conditionnel présent : je vaincrais, tu vaincrais, il vaincrait, nous vaincrions, vous vaincriez, ils vaincraient.
Subjonctif présent : que je vainque, que tu vainques, qu'il vainque, que nous vainquions, que vous vainquiez, qu'ils vainquent.
Subjonctif passé : que j'aie vaincu, que tu aies vaincu, qu'il ait vaincu, que nous ayons vaincu, que vous ayez vaincu, qu'ils aient vaincu.
Subjonctif imparfait : que je vainquisse, que tu vainquisses, qu'il vainquît, que nous vainquissions, que vous vainquissiez, qu'ils vainquissent.
Impératif présent : vaincs, vainquons, vainquez.
Participe présent : vainquant. **Participe passé :** vaincu.

82 Valoir 3e groupe

Présent : je vaux, tu vaux, il vaut, nous valons, vous valez, ils valent.

Imparfait : je valais, tu valais, il valait, nous valions, vous valiez, ils valaient.
Passé simple : je valus, tu valus, il valut, nous valûmes, vous valûtes, ils valurent.
Futur simple : je vaudrai, tu vaudras, il vaudra, nous vaudrons, vous vaudrez, ils vaudront.
Passé composé : j'ai valu, tu as valu, il a valu, nous avons valu, vous avez valu, ils ont valu.
Conditionnel présent : je vaudrais, tu vaudrais, il vaudrait, nous vaudrions, vous vaudriez, ils vaudraient.
Subjonctif présent : que je vaille, que tu vailles, qu'il vaille, que nous valions, que vous valiez, qu'ils vaillent.
Subjonctif passé : que j'aie valu, que tu aies valu, qu'il ait valu, que nous ayons valu, que vous ayez valu, qu'ils aient valu.
Subjonctif imparfait : que je valusse, que tu valusses, qu'il valût, que nous valussions, que vous valussiez, qu'ils valussent.
Impératif présent : vaux, valons, valez.
Participe présent : valant. **Participe passé :** valu.

Prévaloir

Attention au verbe « prévaloir » ! Il se conjugue comme le verbe « valoir », mais au subjonctif présent, les trois premières personnes du singulier et la 3e personne du pluriel sont différentes à cause de la subsistance d'anciennes formes. Cela donne : *Que je prévale, que tu prévales, qu'il prévale, qu'ils prévalent.*

83 Végéter 1er groupe

Présent : je végète, tu végètes, il végète, nous végétons, vous végétez, ils végètent.
Imparfait : je végétais, tu végétais, il végétait, nous végétions, vous végétiez, ils végétaient.
Passé simple : je végétai, tu végétas, il végéta, nous végétâmes, vous végétâtes, ils végétèrent.
Futur simple : je végéterai, tu végéteras, il végétera, nous végéterons, vous végéterez, ils végéteront.
Passé composé : j'ai végété, tu as végété, il a végété, nous avons végété, vous avez végété, ils ont végété.
Conditionnel présent : je végéterais, tu végéterais, il végéterait, nous végéterions, vous végéteriez, ils végéteraient.
Subjonctif présent : que je végète, que tu végètes, qu'il végète, que nous végétions, que vous végétiez, qu'ils végètent.
Subjonctif passé : que j'aie végété, que tu aies végété, qu'il ait végété, que nous ayons végété, que vous ayez végété, qu'ils aient végété.
Subjonctif imparfait : que je végétasse, que tu végétasses, qu'il végétât, que nous végétassions, que vous végétassiez, qu'ils végétassent.
Impératif présent : végète, végétons, végétez.
Participe présent : végétant.
Participe passé : végété.

Les verbes en « écer », « éder », « éguer », etc.

Les verbes qui possèdent un « é » à l'avant-dernière syllabe (*accéder, alléger, céder, concéder, considérer, décéder, déléguer, disséquer, léser, pénétrer, rapiécer, régler, régner, reléguer, tolérer, etc.*) changent ce « é » en « è » devant une syllabe finale muette (un « e » qu'on ne prononce pas), sauf au futur et au conditionnel : *j'accède, nous accédons, ils accèdent ; j'allège, nous allégeons, ils allègent ; je céderai, nous céderons, ils céderont, ils céderaient ; je piège, nous piégerons, nous piégerions ; je pénètre, nous pénétrerons ; je rapièce, vous rapiécez, ils rapiècent, nous rapiéçons, tu rapiéçais, nous rapiécerons* (ne pas oublier la cédille sous le « c » devant « a », « o ») ; *je siège, nous siégeons ; je tolère, tu toléreras, nous tolérons, nous tolérerons.*

84 Vendre 3e groupe

Présent : je vends, tu vends, il vend, nous vendons, vous vendez, ils vendent.
Imparfait : je vendais, tu vendais, il vendait, nous vendions, vous vendiez, ils vendaient.
Passé simple : je vendis, tu vendis, il vendit, nous vendîmes, vous vendîtes, ils vendirent.

Futur simple : je vendrai, tu vendras, il vendra, nous vendrons, vous vendrez, ils vendront.
Passé composé : j'ai vendu, tu as vendu, il a vendu, nous avons vendu, vous avez vendu, ils ont vendu.
Conditionnel présent : je vendrais, tu vendrais, il vendrait, nous vendrions, vous vendriez, ils vendraient.
Subjonctif présent : que je vende, que tu vendes, qu'il vende, que nous vendions, que vous vendiez, qu'ils vendent.
Subjonctif passé : que j'aie vendu, que tu aies vendu, qu'il ait vendu, que nous ayons vendu, que vous ayez vendu, qu'ils aient vendu.
Subjonctif imparfait : que je vendisse, que tu vendisses, qu'il vendît, que nous vendissions, que vous vendissiez, qu'ils vendissent.
Impératif présent : vends, vendons, vendez.
Participe présent : vendant. **Participe passé :** vendu.

85 Venir 3e groupe

Présent : je viens, tu viens, il vient, nous venons, vous venez, ils viennent.
Imparfait : je venais, tu venais, il venait, nous venions, vous veniez, ils venaient.
Passé simple : je vins, tu vins, il vint, nous vînmes, vous vîntes, ils vinrent.

Futur simple : je viendrai, tu viendras, il viendra, nous viendrons, vous viendrez, ils viendront.
Passé composé : je suis venu, tu es venu, il est venu, nous sommes venus, vous êtes venus, ils sont venus.
Conditionnel présent : je viendrais, tu viendrais, il viendrait, nous viendrions, vous viendriez, ils viendraient.
Subjonctif présent : que je vienne, que tu viennes, qu'il vienne, que nous venions, que vous veniez, qu'ils viennent.
Subjonctif passé : que je sois venu, que tu sois venu, qu'il soit venu, que nous soyons venus, que vous soyez venus, qu'ils soient venus.
Subjonctif imparfait : que je vinsse, que tu vinsses, qu'il vînt, que nous vinssions, que vous vinssiez, qu'ils vinssent.
Impératif présent : viens, venons, venez.
Participe présent : venant. **Participe passé :** venu.

86 Vêtir 3e groupe

Présent : je vêts, tu vêts, il vêt, nous vêtons, vous vêtez, ils vêtent.
Imparfait : je vêtais, tu vêtais, il vêtait, nous vêtions, vous vêtiez, ils vêtaient.
Passé simple : je vêtis, tu vêtis, il vêtit, nous vêtîmes, vous vêtîtes, ils vêtirent.

Futur simple : je vêtirai, tu vêtiras, il vêtira, nous vêtirons, vous vêtirez, ils vêtiront.
Passé composé : j'ai vêtu, tu as vêtu, il a vêtu, nous avons vêtu, vous avez vêtu, ils ont vêtu.
Conditionnel présent : je vêtirais, tu vêtirais, il vêtirait, nous vêtirions, vous vêtiriez, ils vêtiraient.
Subjonctif présent : que je vête, que tu vêtes, qu'il vête, que nous vêtions, que vous vêtiez, qu'ils vêtent.
Subjonctif passé : que j'aie vêtu, que tu aies vêtu, qu'il ait vêtu, que nous ayons vêtu, que vous ayez vêtu, qu'ils aient vêtu.
Subjonctif imparfait : que je vêtisse, que tu vêtisses, qu'il vêtît, que nous vêtissions, que vous vêtissiez, qu'ils vêtissent.
Impératif présent : vêts, vêtons, vêtez.
Participe présent : vêtant. **Participe passé :** vêtu.

87 Vivre 3e groupe

Présent : je vis, tu vis, il vit, nous vivons, vous vivez, ils vivent.
Imparfait : je vivais, tu vivais, il vivait, nous vivions, vous viviez, ils vivaient.
Passé simple : je vécus, tu vécus, il vécut, nous vécûmes, vous vécûtes, ils vécurent.
Futur simple : je vivrai, tu vivras, il vivra, nous vivrons,

vous vivrez, ils vivront.
Passé composé : j'ai vécu, tu as vécu, il a vécu, nous avons vécu, vous avez vécu, ils ont vécu.
Conditionnel présent : je vivrais, tu vivrais, il vivrait, nous vivrions, vous vivriez, ils vivraient.
Subjonctif présent : que je vive, que tu vives, qu'il vive, que nous vivions, que vous viviez, qu'ils vivent.
Subjonctif passé : que j'aie vécu, que tu aies vécu, qu'il ait vécu, que nous ayons vécu, que vous ayez vécu, qu'ils aient vécu.
Subjonctif imparfait : que je vécusse, que tu vécusses, qu'il vécût, que nous vécussions, que vous vécussiez, qu'ils vécussent.
Impératif présent : vis, vivons, vivez.
Participe présent : vivant. **Participe passé :** vécu.

88 Voir 3e groupe

Présent : je vois, tu vois, il voit, nous voyons, vous voyez, ils voient.
Imparfait : je voyais, tu voyais, il voyait, nous voyions, vous voyiez, ils voyaient.
Passé simple : je vis, tu vis, il vit, nous vîmes, vous vîtes, ils virent.
Futur simple : je verrai, tu verras, il verra, nous verrons, vous verrez, ils verront.

Passé composé : j'ai vu, tu as vu, il a vu, nous avons vu, vous avez vu, ils ont vu.
Conditionnel présent : je verrais, tu verrais, il verrait, nous verrions, vous verriez, ils verraient.
Subjonctif présent : que je voie, que tu voies, qu'il voie, que nous voyions, que vous voyiez, qu'ils voient.
Subjonctif passé : que j'aie vu, que tu aies vu, qu'il ait vu, que nous ayons vu, que vous ayez vu, qu'ils aient vu.
Subjonctif imparfait : que je visse, que tu visses, qu'il vît, que nous vissions, que vous vissiez, qu'ils vissent.
Impératif présent : vois, voyons, voyez.
Participe présent : voyant. **Participe passé :** vu.

89 Voter 1er groupe

Présent : je vote, tu votes, il vote, nous votons, vous votez, ils votent.
Imparfait : je votais, tu votais, il votait, nous votions, vous votiez, ils votaient.
Passé simple : je votai, tu votas, il vota, nous votâmes, vous votâtes, ils votèrent.
Futur simple : je voterai, tu voteras, il votera, nous voterons, vous voterez, ils voteront.
Passé composé : j'ai voté, tu as voté, il a voté, nous avons voté, vous avez voté, ils ont voté.
Conditionnel présent : je voterais, tu voterais, il voterait,

nous voterions, vous voteriez, ils voteraient.
Subjonctif présent : que je vote, que tu votes, qu'il vote, que nous votions, que vous votiez, qu'ils votent.
Subjonctif passé : que j'aie voté, que tu aies voté, qu'il ait voté, que nous ayons voté, que vous ayez voté, qu'ils aient voté.
Subjonctif imparfait : que je votasse, que tu votasses, qu'il votât, que nous votassions, que vous votassiez, qu'ils votassent.
Impératif présent : vote, votons, votez.
Participe présent : votant. **Participe passé :** voté.

90 Vouloir 3e groupe

Présent : je veux, tu veux, il veut, nous voulons, vous voulez, ils veulent.
Imparfait : je voulais, tu voulais, il voulait, nous voulions, vous vouliez, ils voulaient.
Passé simple : je voulus, tu voulus, il voulut, nous voulûmes, vous voulûtes, ils voulurent.
Futur simple : je voudrai, tu voudras, il voudra, nous voudrons, vous voudrez, ils voudront.
Passé composé : j'ai voulu, tu as voulu, il a voulu, nous avons voulu, vous avez voulu, ils ont voulu.
Conditionnel présent : je voudrais, tu voudrais, il voudrait, nous voudrions, vous voudriez, ils voudraient.

Subjonctif présent : que je veuille, que tu veuilles, qu'il veuille, que nous voulions, que vous vouliez, qu'ils veuillent.
Subjonctif passé : que j'aie voulu, que tu aies voulu, qu'il ait voulu, que nous ayons voulu, que vous ayez voulu, qu'ils aient voulu.
Subjonctif imparfait : que je voulusse, que tu voulusses, qu'il voulût, que nous voulussions, que vous voulussiez, qu'ils voulussent.
Impératif présent : veux, voulons, voulez, ou veuille, veuillons, veuillez.
Participe présent : voulant. **Participe passé :** voulu.

91 Vriller 1er groupe

Présent : je vrille, tu vrilles, il vrille, nous vrillons, vous vrillez, ils vrillent.
Imparfait : je vrillais, tu vrillais, il vrillait, nous vrillions, vous vrilliez, ils vrillaient.
Passé simple : je vrillai, tu vrillas, il vrilla, nous vrillâmes, vous vrillâtes, ils vrillèrent.
Futur simple : je vrillerai, tu vrilleras, il vrillera, nous vrillerons, vous vrillerez, ils vrilleront.
Passé composé : j'ai vrillé, tu as vrillé, il a vrillé, nous avons vrillé, vous avez vrillé, ils ont vrillé.
Conditionnel présent : je vrillerais, tu vrillerais, il vrillerait,

nous vrillerions, vous vrilleriez, ils vrilleraient.
Subjonctif présent : que je vrille, que tu vrilles, qu'il vrille, que nous vrillions, que vous vrilliez, qu'ils vrillent.
Subjonctif passé : que j'aie vrillé, que tu aies vrillé, qu'il ait vrillé, que nous ayons vrillé, que vous ayez vrillé, qu'ils aient vrillé.
Subjonctif imparfait : que je vrillasse, que tu vrillasses, qu'il vrillât, que nous vrillassions, que vous vrillassiez, qu'ils vrillassent.
Impératif présent : vrille, vrillons, vrillez.
Participe présent : vrillant. **Participe passé :** vrillé.

92 Zigzaguer 1er groupe

Présent : je zigzague, tu zigzagues, il zigzague, nous zigzaguons, vous zigzaguez, ils zigzaguent.
Imparfait : je zigzaguais, tu zigzaguais, il zigzaguait, nous zigzaguions, vous zigzaguiez, ils zigzaguaient.
Passé simple : je zigzaguai, tu zigzaguas, il zigzagua, nous zigzaguâmes, vous zigzaguâtes, ils zigzaguèrent.
Futur simple : je zigzaguerai, tu zigzagueras, il zigzaguera, nous zigzaguerons, vous zigzaguerez, ils zigzagueront.
Passé composé : j'ai zigzagué, tu as zigzagué, il a zigzagué, nous avons zigzagué, vous avez zigzagué, ils ont zigzagué.

Conditionnel présent : je zigzaguerais, tu zigzaguerais, il zigzaguerait, nous zigzaguerions, vous zigzagueriez, ils zigzagueraient.
Subjonctif présent : que je zigzague, que tu zigzagues, qu'il zigzague, que nous zigzaguions, que vous zigzaguiez, qu'ils zigzaguent.
Subjonctif imparfait : que je zigzaguasse, que tu zigzaguasses, qu'il zigzaguât, que nous zigzaguassions, que vous zigzaguassiez, qu'ils zigzaguassent.
Impératif présent : zigzague, zigzaguons, zigzaguez.
Participe présent : zigzaguant. **Participe passé :** zigzagué.

LES VERBES DÉFECTIFS

On appelle « verbes défectifs » (de *deficere,* en latin : « faire défaut »), certains verbes qui sont arrivés jusqu'à nous amputés d'une partie de leurs temps, de leurs personnes, parfois réduits à un infinitif. Certaines de leurs conjugaisons surannées peuvent donner du charme, du pittoresque au discours. On peut même s'en amuser : Raymond Devos a écrit un sketch très drôle en utilisant les formes conjuguées du verbe « ouïr » ; on l'y entend par exemple dire : « Dieu ! Que ce que j'ois est triste », ou bien : « J'ois ce que toute oie oit le soir au fond des bois »... ou bien encore : « Au passé simple, ça fait j'ouïs... Y'a vraiment pas de quoi ! » À redécouvrir.

1 Accroire 3e groupe

Ce verbe a neuf cents ans, et il commence à les faire... On ne l'emploie plus qu'à l'infinitif. André Gide, qui n'était pas avare de conjugaisons rares, l'emploie dans *La Symphonie pastorale* où il fait dire à Gertrude, la jeune aveugle : « Il ne faut pas chercher à m'en faire accroire, voyez-vous... »

2 Advenir 3e groupe

« Advenir » se conjugue comme le verbe « venir » mais seulement à la 3e personne du singulier et à la 3e personne du pluriel :

Présent : il advient, ils adviennent.
Imparfait : il advenait, ils advenaient.
Passé simple : il advint, ils advinrent.
Futur simple : il adviendra, ils adviendront.
Passé composé : il est advenu, ils sont advenus.
Conditionnel présent : il adviendrait, ils adviendraient.
Subjonctif présent : qu'il advienne, qu'ils adviennent.
Subjonctif passé : qu'il soit advenu, qu'ils soient advenus.
Subjonctif imparfait : qu'il advînt, qu'ils advinssent.
Impératif : inusité.
Participe présent : advenant. **Participe passé :** advenu.

L'ancienne forme du participe passé était « avenu », qu'on retrouve encore dans l'expression : « Nul et non avenu ».

3 Apparoir 3e groupe

« Apparoir » qui signifie « apparaître » subsiste dans l'adjectif « apparent » et n'est plus conjugué qu'à la

3e personne du singulier dans la locution du langage juridique : *Il appert que...* (il apparaît que...).

4 Braire 3e groupe

Présent : il brait, ils braient.
Futur simple : il braira, ils brairont.
Imparfait (quelques cas d'emploi) : il brayait, ils brayaient.
Conditionnel présent : il brairait, ils brairaient.
Inusité aux autres personnes, temps et modes.

5 Bruire 2e groupe

Présent : il bruit, ils bruissent.
Imparfait : il bruissait, ils bruissaient.
Subjonctif présent : qu'il bruisse, qu'ils bruissent.
Participe présent : bruissant.
Inusité aux autres personnes, temps et modes.

6 Chaloir 3e groupe

Le verbe « chaloir » qui signifiait « éprouver de l'intérêt » n'existe plus qu'à la 3e personne du singulier de l'indicatif présent : *Un seul élément me chaut* (m'intéresse).

Peu m'en chaut ! (Cela ne m'intéresse pas.)

7 Choir 3e groupe

Présent : je chois, tu chois, il choit (nous et vous… inusités), ils choient.
Imparfait : inusité.
Passé simple : je chus, tu chus, il chut, nous chûmes, vous chûtes, ils churent.
Futur simple : je choirai, tu choiras, il choira, nous choirons, vous choirez, ils choiront. Ou bien : je cherrai, tu cherras, il cherra, nous cherrons, vous cherrez, ils cherront.
Passé composé : je suis chu, tu es chu, il est chu, nous sommes chus, vous êtes chus, ils sont chus.
Passé antérieur : je fus chu, tu fus chu, il fut chu, nous fûmes chus, vous fûtes chus, ils furent chus.
Futur antérieur : je serai chu, tu seras chu, il sera chu, nous serons chus, vous serez chus, ils seront chus.
Conditionnel présent : je choirais, tu choirais, il choirait, nous choirions, vous choiriez, ils choiraient. Ou bien : je cherrais, tu cherrais, il cherrait, nous cherrions, vous cherriez, ils cherraient.
Conditionnel passé : je serais chu, tu serais chu, il serait chu, nous serions chus, vous seriez chus, ils seraient chus.
Subjonctif présent : inusité.

Subjonctif imparfait : 3e personne du singulier seulement : qu'il chût.
Subjonctif passé : que je sois chu, que tu sois chu, qu'il soit chu, que nous soyons chus, que vous soyez chus, qu'ils soient chus.
Subjonctif plus-que-parfait : que je fusse chu, que tu fusses chu, qu'il fût chu, que nous fussions chus, que vous fussiez chus, qu'ils fussent chus.
Impératifs présent et passé : inusités.
Participe présent : cheyant. **Participe passé :** chu.

8 Clore 3e groupe

Présent : je clos, tu clos, il clôt, (nous, vous, inusités), ils closent.
Imparfait : inusité.
Passé simple : inusité.
Futur simple : je clorai, tu cloras, il clora, nous clorons, vous clorez, ils cloront.
Les temps composés de l'indicatif, du conditionnel et du subjonctif sont conjugués.
Conditionnel : je clorais, tu clorais, il clorait, nous clorions, vous cloriez, ils cloraient.
Subjonctif présent : que je close, que tu closes, qu'il close, que nous closions, que vous closiez, qu'ils closent.
Subjonctif imparfait : inusité.

Impératif : clos (1re et 2e personnes du pluriel inusitées).
Impératif passé : aie clos, ayons clos, ayez clos.
Participe présent : closant. **Participe passé :** clos.

Clore, clôturer

Afin de pallier l'absence de certaines personnes et de certains temps dans la conjugaison de « clore », le verbe « clôturer » a été créé. Son emploi, lorsqu'il ne signifie pas « entourer d'une clôture », est critiqué. Il est préférable de dire : *Je clos les débats* plutôt que : *Je clôture les débats.* Cependant, *Nous clôturons les débats,* inévitable à la 1re personne du pluriel.

9 Déchoir 3e groupe

Présent : je déchois, tu déchois, il déchoit, nous déchoyons, vous déchoyez, ils déchoient
Imparfait : inusité.
Passé simple : je déchus, tu déchus, il déchut, nous déchûmes, vous déchûtes, ils déchurent.
Futur simple : je déchoirai, tu déchoiras, il déchoira, nous déchoirons, vous déchoirez, ils déchoiront, ou nous décherrons, vous décherrez, ils décherront.
Conditionnel : je déchoirais, tu déchoirais, il déchoirait, nous déchoirions, vous déchoiriez, ils déchoiraient.
Les temps composés de l'indicatif, du conditionnel

et du subjonctif sont conjugués avec l'auxiliaire avoir (pour l'action) ou être (pour l'état).
Subjonctif présent : que je déchoie, que tu déchoies, qu'il déchoie, que nous déchoyions, que vous déchoyiez, qu'ils déchoient.
Subjonctif imparfait : que je déchusse, que tu déchusses, qu'il déchût, que nous déchussions, que vous déchussiez, qu'ils déchussent.
Impératifs présent et passé : inusités.
Participe présent : inusité. **Participe passé :** déchu.

10 Échoir 3e groupe

Présent : il échoit, ils échoient (inusité aux autres personnes).
Imparfait : il échoyait, ils échoyaient, ou il échéait, ils échéaient (inusité aux autres personnes).
Passé simple : il échut, ils échurent (inusité aux autres personnes).
Futur simple : il échoira, ils échoiront, ou il écherra, ils écherront (inusité aux autres personnes).
Les temps composés de l'indicatif, du conditionnel et du subjonctif sont conjugués à la 3e personne du singulier et à la 3e personne du pluriel (auxiliaire être).
Conditionnel : il échoirait, ils échoiraient, ou il écherrait, ils écherraient (inusité aux autres personnes).
Subjonctif présent : qu'il échoit, qu'ils échoient (inusité

aux autres personnes).
Subjonctif imparfait : qu'il échût, qu'ils échussent (inusité aux autres personnes).
Impératif : inusité.
Participe présent : échéant. **Participe passé :** échu.

11 Éclore 3e groupe

« Éclore » possède la même conjugaison que le verbe « clore », mais il ne s'utilise en général qu'à la 3e personne du singulier.
Pour les temps composés, on emploie l'auxiliaire « être » (état) ou « avoir» (action). Selon l'Académie, on doit écrire « il éclot » sans accent circonflexe, alors qu'on met un accent à « il clôt ». Étonnante exception que l'usage a « gommée » en écrivant avec raison : « il éclôt ».

12 Enclore 3e groupe

Le verbe « enclore » se conjugue comme « clore » mais possède les 1re et 2e personnes du pluriel à l'indicatif Présent : *nous enclosons, vous enclosez*, et à l'impératif : *enclosons, enclosez.* La remarque effectuée pour « il éclot » (il éclôt) concerne aussi « il enclot » (il enclôt).

13 S'ensuivre 3e groupe

Le verbe « s'ensuivre » n'est utilisé qu'à la 3e personne du singulier et du pluriel.

Présent : il s'ensuit, ils s'ensuivent.
Imparfait : il s'ensuivait, ils s'ensuivaient.
Passé simple : il s'ensuivit, ils s'ensuivirent.
Futur simple : il s'ensuivra, ils s'ensuivront.
Passé composé : il s'est ensuivi (et non il s'en est suivi), ils se sont ensuivis.
Futur antérieur : il se sera ensuivi, ils se seront ensuivis
Conditionnel présent : il s'ensuivrait, ils s'ensuivraient.
Conditionnel passé : il se serait ensuivi, ils se seraient ensuivis.
Subjonctif présent : qu'il s'ensuive, qu'ils s'ensuivent.
Subjonctif imparfait : qu'il s'ensuivît, qu'ils s'ensuivissent.
Subjonctif passé : qu'il se soit ensuivi, qu'ils se soient ensuivis.
Subjonctif plus-que-parfait : qu'il se fût ensuivi, qu'ils se fussent ensuivis.
Impératif : inusité.
Participe présent : s'ensuivant.
Participe passé : s'étant ensuivi.

14 Ester 1er groupe

De ce verbe, bien connu des cruciverbistes, ne reste que l'infinitif, notamment dans l'expression « ester (comparaître) en justice ».

15 Falloir 3e groupe

Le verbe « falloir » ne se conjugue qu'à la 3e personne du singulier.

Présent : il faut.
Imparfait : il fallait.
Passé simple : il fallut.
Futur simple : il faudra.
Passé composé : il a fallu.
Passé antérieur : il eut fallu.
Futur antérieur : il aura fallu.
Conditionnel présent : il faudrait.
Conditionnel passé : il aurait fallu.
Subjonctif présent : qu'il faille.
Subjonctif imparfait : qu'il fallût.
Subjonctif passé : qu'il ait fallu.
Subjonctif Plus-que-parfait : qu'il eût fallu.
Impératif : inusité.
Participe présent : inusité.

Participe passé : fallu.

16 Férir 3e groupe

« Férir » (du latin *ferire* : « frapper ») n'est utilisé que dans l'expression « sans coup férir », c'est-à-dire « sans frapper un coup »

17 Foutre 3e groupe

Le verbe « foutre » est très familier, voire trivial. On le rencontre dans des expressions telles que : « ne rien foutre », « foutre le camp », « s'en foutre », etc.

Présent : je fous, tu fous, il fout, nous foutons, vous foutez, ils foutent.
Imparfait : je foutais, tu foutais, etc.
Passé simple : inusité : parfois, on rencontre : je foutis, tu foutis, il foutit, nous foutîmes, vous foutîtes, ils foutirent.
Futur simple : je foutrai, tu foutras, etc.
Passé composé : j'ai foutu, tu as foutu, il a foutu, etc.
Passé antérieur : j'eus foutu, tu eus foutu, etc.
Futur antérieur : j'aurai foutu, tu auras foutu, etc.
Conditionnel présent : je foutrais, tu foutrais, etc.
Conditionnel passé : j'aurais foutu, tu aurais foutu, etc.
Subjonctif présent : que je foute, que tu foutes, etc.

Subjonctif imparfait : inusité mais on peut rencontrer que je foutisse, que tu foutisses, qu'il foutît, que nous foutissions, que vous foutissiez, qu'ils foutissent.
Subjonctif passé : que j'aie foutu, que tu aies foutu, etc.
Subjonctif plus-que-parfait : que j'eusse foutu, que tu eusses foutu, etc.
Impératif présent : fous, foutons, foutez.
Impératif passé : aie foutu, ayons foutu, ayez foutu.
Participe présent : foutant. **Participe passé :** foutu.

18 Frire 3e groupe

Présent : je fris, tu fris, il frit (les trois personnes du pluriel sont inusitées).
Imparfait : inusité.
Passé simple : inusité.
Futur simple : je frirai, tu friras, il frira, nous frirons, vous frirez, ils friront.
Les temps composés de l'indicatif, du conditionnel et du subjonctif sont conjugués à toutes les personnes (auxiliaire avoir).
Conditionnel : je frirais, tu frirais, il frirait, nous fririons, vous fririez, ils friraient.
Impératif présent : fris (les 1re et 2e personnes du pluriel sont inusitées).
Impératif passé : aie frit, ayons frit, ayez frit.
Participe passé : frit.

19 Gésir 3e groupe

Présent : je gis, tu gis, il gît, nous gisons, vous gisez, ils gisent.
Imparfait : je gisais, tu gisais, il gisait, nous gisions, vous gisiez, ils gisaient.
Participe présent : gisant. « Gésir » est inusité aux autres temps et aux autres modes.

20 Issir 3e groupe

Le verbe « issir » vient du latin *exire :* « sortir ». Il n'est plus utilisé qu'au participe passé : « issu ».

21 Messeoir 3e groupe

Le verbe « messeoir » se fait de plus en plus rare. Mais on le rencontre encore dans le registre soutenu. Il vient du verbe « seoir » qui signifie « convenir ». « Messeoir », c'est le contraire de convenir : c'est ce qui n'est pas séant. Ce verbe est souvent utilisé à la forme négative. On se trouve alors en présence d'une double négation lorsqu'on entend la phrase : *Il ne messied pas de...* qui signifie : *Il convient de...* Le verbe « messeoir » ne se conjugue qu'à la 3e personne du singulier de l'indicatif présent :

Il messied. On trouve exceptionnellement : *Il messeyait, il messiérait*, ainsi que le participe présent *messéant.*

22 Ouïr 3e groupe

« Ouïr » vient du latin *audire* qui signifie « entendre ». On ne l'utilise plus qu'à l'infinitif et au participe passé. Cependant, à titre de curiosité, ou même pour servir l'originalité dans le discours, voici sa conjugaison :

Présent : j'ouïs, tu ouïs, il ouït, nous ouïssons, vous ouïssez, ils ouïssent.
Imparfait : j'ouïssais, tu ouïssais, etc.
Passé simple : j'ouïs, tu ouïs, il ouït, nous ouîmes, vous ouîtes, ils ouïrent.
Futur simple : j'ouïrai, tu ouïras, il ouïra, etc.
Passé composé : j'ai ouï, tu as ouï, il a ouï, etc.
Conditionnel : j'ouïrais, tu ouïrais, etc.
Subjonctif présent : que j'ouïsse, que tu ouïsses, qu'il ouïsse, que nous ouïssions, que vous ouïssiez, qu'ils ouïssent.
Subjonctif passé : que j'aie ouï, que tu aies ouï, etc.
Subjonctif imparfait : que j'ouïsse, que tu ouïsses, qu'il ouît, que nous ouïssions, que vous ouïssiez, qu'ils ouïssent.
Impératif : ouïs, ouïssons, ouïssez.
Participe présent : oyant. **Participe passé :** ouï.

Autre conjugaison pour certains temps :
Présent : j'ois, tu ois, il oit, nous oyons, vous oyez, ils oient.
Imparfait : j'oyais, tu oyais, il oyait, nous oyions, vous oyiez, il oyaient.
Futur simple : j'orrai, tu orras, il orra, nous orrons, vous orrez, ils orront.
Conditionnel : j'orrais, tu orrais, il orrait, nous orrions, vous orriez, ils orraient.
Subjonctif présent : que j'oie, que tu oies, qu'il oie, que nous oyions, que vous oyiez, qu'ils oient.
Impératif présent : Ois, oyons, oyez.

Le verbe « occire » s'emploie à l'infinitif, au participe passé, et aux temps composés : *j'ai occis, il avait occis, vous aurez occis*, etc.

23 Paître 3e groupe

Présent : je pais, tu pais, il paît, nous paissons, vous paissez, ils paissent.
Imparfait : je paissais, tu paissais, il paissait, nous paissions, vous paissiez, ils paissaient.
Futur simple : je paîtrai, tu paîtras, il paîtra, nous paîtrons, vous paîtrez, ils paîtront.
Conditionnel présent : je paîtrais, tu paîtrais, il paîtrait,

nous paîtrions, vous paîtriez, ils paîtraient.
Subjonctif présent : que je paisse, que tu paisses, qu'il paisse, que nous paissions, que vous paissiez, qu'ils paissent.
Impératif présent : pais, paissons, paissez.
Participe présent : paissant.
« Paître » est inusité aux autres temps. Il ne possède pas de participe passé.

24 Pleuvoir 3e groupe

Présent : il pleut.
Imparfait : il pleuvait.
Passé simple : il plut.
Futur simple : il pleuvra.
Conditionnel présent : il pleuvrait.
Subjonctif présent : qu'il pleuve.
Subjonctif imparfait : qu'il plût.
Temps composés : auxiliaire avoir suivi du participe passé plu (il a plu, il aurait plu, etc.).
Impératif : inusité.
Participe présent : pleuvant. **Participe passé :** plu.

25 Poindre 3e groupe

Lorsqu'il signifie « commencer à paraître » (*le jour point*), le verbe « poindre » ne s'utilise qu'à l'infinitif et à la 3e personne du singulier du présent (*il point*) et du futur de l'indicatif (*il poindra*).
Lorsqu'il signifie « blesser, faire souffrir, piquer », il se conjugue comme « joindre » C43 : *Une forte douleur me poignait.*

26 Saillir 3e groupe

Au sens de « déborder, avancer en formant un relief, faire saillie », le verbe « saillir » se conjugue comme « assaillir » C7, aux 3es personnes.

Présent : il saille, ils saillent.
Imparfait : il saillait, ils saillaient.
Passé simple : il saillit, ils saillirent.
Futur simple : il saillira, ils sailliront.
Participe présent : saillant.
Participe passé : sailli. **Pas d'impératif.**

Au sens de « saillir », « couvrir une femelle », il doit suivre aussi la conjugaison du verbe « assaillir ». Mais certains le conjuguent comme le verbe « finir » C39. Seules les

3es personnes sont conjuguées. Participe présent : *saillissant.* Participe passé : *sailli.* Pas d'impératif.

27 Seoir 3e groupe

Présent : il sied, ils siéent.
Imparfait : il seyait, ils seyaient.
Futur simple : il siéra, ils siéront.
Conditionnel présent : il siérait, ils siéraient.
Subjonctif présent : qu'il siée, qu'ils siéent
inusité aux autres personnes.
Participe présent : séant ou seyant.
Participe passé : sis.
Inusité aux autres temps et personnes.

28 Sourdre 3e groupe

Présent : il sourd, ils sourdent.
Imparfait : il sourdait, ils sourdaient.
Inusité aux autres personnes, temps et modes

INDEX DES VERBES

Les verbes modèles sont répartis en deux catégories :

1 - Ceux qui sont conjugués à tous les modes et tous les temps (de 1 à 92).

2 - Les verbes défectifs dont la conjugaison est lacunaire : absence de certains modes et de certains temps (de 1 à 28).

À chaque verbe de la liste suivante est attribué le numéro de sa conjugaison modèle.
Ce numéro est précédé de la lettre **C** s'il appartient à la première catégorie, et de la lettre **D** (défectif) s'il appartient à la seconde catégorie.

La lettre **N** signifie qu'il faut se reporter à la note qui suit le verbe modèle.
INF signifie que le verbe ne s'emploie qu'à l'infinitif, et **3SP** que seules les 3es personnes du singulier et du pluriel sont conjuguées.

A

Abaisser C89
Abandonner C89
Abasourdir C39
Abâtardir C39
Abattre C10
Abdiquer C89
Abêtir C39
Abhorrer C89
Abîmer C89
Abolir C39
Abonder C89
Abonner C89
Aborder C89
Aboutir C 39
Aboyer C31
Abréger C72
Abreuver C89
Abriter C89
Abroger C63
Abrutir C39
Absenter (s') C89
Absorber C89
Absoudre C67
Abstenir (s') C85
Abuser C89
Accabler C89
Accaparer C89
Accéder C83
Accélérer C83
Accentuer C35
Accepter C89
Acclamer C89
Accoler C89
Accommoder C89
Accompagner C89
Accomplir C39
Accorder C89
Accoster C89
Accourir C19
Accrocher C89
Accroire D1
Accroître C24
Accueillir C25
Accumuler C89
Accuser C89
Acheter C1
Achever C74
Acidifier C22
Acquérir C2
Acquiescer C3
Acquitter C89
Additionner C89
Adhérer C83
Adjoindre C43
Adjuger C89
Admettre C48
Advenir D2
Aérer C89
Affadir C39
Affaiblir C39
Affermir C39
Affilier C22
Affluer C35
Affoler C89
Affranchir C39
Agacer C13
Agencer C13
Agglomérer C83
Agir C39
Agonir C39
Agoniser C89
Agrafer C89
Agrandir C39
Agréer C21
Agréger C72
Agripper C89
Ahurir C39
Aider C89
Aigrir C39
Ajouter C89
Alanguir C39
Aléser C83
Aliéner C83
Aligner C80
Allécher C83
Alléger C72
Aller C4
Allier C22
Allouer C45
Alourdir C39
Altérer C83
Alunir C39
Amadouer C45
Amaigrir C39
Amener C74
Amerrir C39
Amincir C39
Amoindrir C39
Amollir C39
Amonceler C5
Amortir C39
Analyser C89
Anéantir C39
Anesthésier C22
Angoisser C89
Annoncer C13
Anoblir C39
Apercevoir C64
Apitoyer C31
Aplanir C39

Caréner C83
Carguer C92
Carier C22
Carreler C5
Carrosser C89
Causer C89
Cautionner C89
Céder C83
Ceindre C56
Célébrer C83
Celer C26
Centrifuger C63
Certifier C22
Chaloir D6
Chanceler C5
Changer C63
Chanter C89
Charger C63
Charrier C22
Charroyer C31
Châtier C22
Chérir C39
Chier C22
Choir D7
Choisir C39
Choyer C31
Ciller C91
Circoncire C75
Circonscrire C30
Ciseler C26
Clarifier C22
Classer C89
Cligner C80
Cliqueter C42
Clore D8
Clouer C45
Codifier C22
Cogérer C83
Coincer C13
Colorier C22
Combattre C10
Commencer C13
Commercer C13
Commettre C48
Commuer C35
Comparaître C16
Compatir C39
Comprendre C77
Compromettre C48
Concéder C83
Concevoir C64
Concilier C22
Conclure C14
Concourir C19
Concurrencer C13
Condamner C89
Condescendre C84
Conduire C15
Conférer C83
Confier C22
Confire C75
Confluer C35
Confondre C66
Congédier C22
Congeler C26
Conjuguer C92
Connaître C16
Conquérir C2
Conseiller C91
Consentir C47
Considérer C83
Conspuer C35
Consteller C5 N
Constituer C35
Construire C15
Contenir C85
Continuer C35
Contraindre C20
Contrarier C22
Contredire C17
Contrefaire C38
Contribuer C35
Convaincre C81
Convenir C85
Converger C63
Convertir C39
Convier C22
Convoyer C31
Coopérer C83
Copier C22
Correspondre C66
Corriger C63
Corrompre C69
Corseter C1
Côtoyer C31
Coudre C18
Courir C19
Courroucer C13
Coûter C89
Couvrir C53
Craindre C20
Créer C21
Crépir C39
Creuser C89
Crever C89
Crier C22
Crocheter C1
Croire C23
Croiser C89
Croître C24
Croupir C39

Garantir C39
Garder C89
Garnir C39
Geindre C56
Geler C26
Gémir C39
Gérer C83
Gésir D19
Glacer C13
Goûter C89
Goutter C89
Gouverner C89
Gracier C22
Grandir C39
Grasseyer C55 (2)N
Gratifier C22
Gravir C39
Gréer C21
Grever C74
Griller C91
Grimacer C13
Grincer C13
Grogner C80
Grommeler C5
Grossir C39
Gruger C63
Guérir C39
Guerroyer C31
Guetter C89

H

Habiller C91
Habiter C89
Habituer C35
*Hacher C89
*Hachurer C89
*Haïr C41
*Haler C89
*Hâler C89
*Haleter C1
*Hanter C89
*Haranguer C92
*Harceler C26
*Hâter C89
*Héler C83
*Hennir C39
Herboriser C89
*Hérisser C89
Hériter C 89
*Heurter C89
Homogénéiser C89
*Honnir C39
*Hoqueter C42
Horrifier C22
*Huer C35
Humidifier C22
Humilier C22
*Hurler C89
Hypertrophier C22
Hypnotiser C89
Hypothéquer C83

I

Identifier C22
Immiscer (s') C13
Imprégner C80
Immerger C63
Imprégner C83
Incarcérer C83
Incinérer C83
Inclure C14
Indigner C80
Induire C15
Infléchir C39
Infliger C63
Influencer C13
Influer C35
Ingénier (s'... à) C 22
Ignorer C89
Initier C22
Injurier C22
Inquiéter C83
Inscrire C30
Insérer C83
Insinuer C35
Instituer C35
Instruire C15
Intégrer C83
Intensifier C22
Intercéder C83
Interdire C17
Intéresser C89
Interférer C83
Interpeller C5 N
Interpréter C83
Interroger C63
Interrompre C69
Intervenir C85
Intervertir C39
Interviewer C89
Intriguer C92
Introduire C15
Inventorier C22
Investir C39
Inviter C89
Irradier C22
Irriguer C92
Issir D20